Das Mädchen im Mond

Das Mädchen im Mond

und andere Erzählungen aus aller Welt

Gesammelt von James Riordan
Illustriert von Angela Barrett

Delphin Verlag

Aus dem Englischen von Sigrid Eicher

Titel der englischen Originalausgabe:
The Woman in the Moon
First published 1984 by Hutchinson Children's Books Ltd
© Text: James Riordan 1984
© Illustrationen: Angela Barrett 1984
Für die deutsche Ausgabe:
© 1986 Delphin Verlag GmbH, München und Zürich
Alle deutschen Rechte vorbehalten
Umschlaggestaltung: Christa Manner, München
Satz: SatzStudio Pfeifer, Germering
Druck: Huber KG, Dießen
Bindung: Thomas, Augsburg
Printed in Germany
ISBN 3.7735.5262.9

Inhalt

Vorwort 7

Das Mädchen im Mond 9
Eine Indianergeschichte aus Nordamerika

Mutters Garn 14
Eine Saami-Geschichte aus Lappland

Der unzufriedene Ehemann 20
Eine lustige Geschichte aus Tallin in Estland

Gulnara, die Kriegerin 24
*Eine Tatarengeschichte aus dem Grenzgebiet zwischen dem
westlichen Sibirien und der Mongolei*

Katharina die Kluge 30
Eine Geschichte aus Sizilien

Oona und der Riese Cuchulain 37
Eine riesige Geschichte aus Irland

Aina-kiss und der Bey mit dem schwarzen Bart 43
Eine Geschichte aus Zentralasien

Ein Pfund Hirn 48
Eine Geschichte aus Lincolnshire in England

Das Mädchen, das nicht jeden wollte 53
Eine Erzählung aus Ghana in Westafrika

Großmutter, Mutter und Kind 58
Eine Geschichte aus Japan

Die Zauberperle   67
Eine Erzählung aus Vietnam

Der Junker auf Freiersfüßen   72
Eine alte Erzählung aus Norwegen

Die Sonnengöttin   76
Ein Märchen der Azteken

Sonne und Mond   80
Gedicht von Elaine Daron

Vorwort

Warum sind Hexen böse und häßlich, Zauberer aber gut? Warum kommen in Märchen böse Stiefmütter vor, kaum je aber böse Stiefväter? Warum sind immer Schwestern gemein, Brüder aber nicht? Warum sinnen Frauen im Märchen entweder auf Böses oder sind der Preis, den die Männer nach vielen Abenteuern erringen – wie bei Schneewittchen, Aschenputtel oder Dornröschen? Und warum handeln die meisten Geschichten von Jungen, von Männern oder von männlichen Tieren?

Ja, warum eigentlich?

Ironischerweise wurden die meisten Geschichten ursprünglich von Frauen – und zwar von einfachen Frauen – erzählt, die selbst im Leben keineswegs auf Rosen gebettet waren. Deshalb hat Charles Perrault seine Geschichten auch »Altweibergeschichten« genannt. Aufgeschrieben aber wurden die meisten Geschichten von Männern: von Perrault, den Gebrüdern Grimm, Joseph Jacobs, Andrew Lang und vielen anderen. Und als die Erzählungen veröffentlicht wurden – meist im vorigen Jahrhundert –, wurden die Helden und Heldinnen so dargestellt, daß sie in das damals übliche Klischee davon paßten, wie Männer und Frauen sich zu benehmen hatten.

Der ideale Held hatte abenteuerlustig zu sein, wagemutig und stark, ein Beschützer von Frauen und Mädchen.

Die ideale Heldin war sanft, bescheiden und hilflos und den männlichen Exemplaren der Schöpfung in fast jeder Hinsicht unterlegen. Vor allem aber mußte sie schön sein. Und ihr einziger Ehrgeiz war oft, einen schönen Prinzen zu heiraten!

Märchen stellten also Mädchen und Jungen so dar, wie die Gesellschaft sie gerne gehabt hätte, nicht wie sie wirklich waren. Lange Zeit hatte man Frauen, ihre Kraft und ihr Wissen, überhaupt eher gefürchtet. Das führte dazu, daß man im 15. und 16. Jahrhundert unschuldige alte Frauen als Hexen verbrannte und Hexen im Märchen einführte, um kleine Kinder zu erschrecken und gefügig zu machen.

Macht das etwas aus? Sicher werden Märchen doch von keinem Menschen ernst genommen. Wirklich nicht? Kinder lernen viel über die Welt aus Kinderbüchern – darüber, wie andere Mädchen und Jungen reden, handeln und fühlen, was von ihnen erwartet wird und was aus ihnen werden kann, wenn sie groß sind.

Märchen spielen also eine wichtige Rolle bei der ersten Entwicklung von Vorstellungen, einfach weil sie so bekannt sind. Es gibt sie als Comics oder als Film, und sie werden von Eltern und Lehrern immer und immer wieder vorgelesen. Das aber sind die Menschen, denen Kinder am meisten vertrauen. Und die ersten Geschichten und Filme, mit denen Kinder in Berührung kommen, sind gewöhnlich Märchen.

In diesem Buch werden Volksmärchen aus der ganzen Welt vorgestellt. Ein paar habe ich bei meinen Reisen durch fremde Länder aufgeschnappt, andere habe ich übersetzt und nacherzählt. Die Hauptpersonen sind Mädchen und Frauen, und sie sind Hauptpersonen, weil sie wirkliche Persönlichkeiten sind und nicht erst von Männern zur Hauptperson gemacht werden müssen. Und ebenso wie die üblichen Geschichtensammlungen, in denen männliche Wesen die Hauptrolle spielen, nicht nur für Jungen gedacht sind, ist auch dieses Buch für Jungen *und* Mädchen gedacht, und für ihre Eltern und Lehrer. Denn den Preis für die Klischees in Märchen müssen nicht nur die Mädchen zahlen. Es möchten nämlich auch nicht alle Jungen wagemutig, hart und aggressiv sein. Es gibt auch welche, die sanft und mitfühlend sind und ein schönes Zuhause lieben – Eigenschaften, die manche Menschen als weiblich abqualifizieren.

Hier sind zur Abwechslung einmal ein paar Geschichten – ein Tropfen im Ozean – über starke, kühne und kluge Mädchen, die den Zauberbann der Märchen brechen, Geschichten, die Mädchen und Jungen dabei helfen können, sie selbst zu sein. Geschichten über Respekt und Würde auf beiden Seiten, über Zusammenhelfen und Freundschaft.

Schließlich sollten und können Geschichten die Fantasie und Kreativität aller Kinder anregen – und zwar ohne daß es auf Kosten anderer geht.

Das Mädchen im Mond

Eine Indianergeschichte aus Nordamerika.
Das »Große Wasser« ist der Obere See

Vor vielen Wintern, noch bevor der Weiße Mann kam und den Indianern ihr Land wegnahm, waren die Chippewa stark und groß. Sie waren so viele, wie der Ahornbaum Blätter hat. Ihre Zelte standen so dicht wie die Sterne am Himmel. Sie wurden gefürchtet von ihren Feinden und geliebt von ihren Freunden. Der Gute Geist war seinem Volk gnädig, und das Volk war glücklich.

In diesen längst vergangenen Zeiten lebte am Ufer des Großen Wassers ein Indianermädchen namens Einsamer Vogel. Sie war die einzige Tochter von Adlerweibchen und Morgendämmerung. Und kein Mädchen im ganzen Stamm war so stolz und stark wie sie. Aus allen Chippewa-Lagern kamen tapfere junge Krieger und warben um ihre Gunst. Sie aber betrachtete sie alle mit kühlen Blicken. Vergeblich sangen sie von ihren kühnen Taten auf der Jagd und im Krieg. Vergeblich brachten sie Geschenke zum Zelt von Adlerweibchen und Morgendämmerung.

Das Mädchen hat ein Herz von Eis, so sagten sie.

Der Vater versuchte, das Herz seiner Tochter zu erwärmen. Er pries die Tugenden derer, die er kannte; er sagte ihr, daß kein anderes Mädchen die Auswahl unter einer so edlen Schar von Bewerbern hätte.

Aber Einsamer Vogel ergriff seine Hand und sagte lächelnd: »Habe ich nicht die Liebe meiner Eltern? Welchen Grund hätte ich zu heiraten?«

Morgendämmerung gab keine Antwort. Er verstand seine Tochter nicht. Wie hätte er sie auch verstehen sollen? Am nächsten Tag ging er und rief die jungen Krieger seines Stammes zusammen. Er erzählte ihnen seinen Plan.

»Alle, die meine Tochter zu ihrer Squaw machen wollen, sollen sich am Ufer versammeln und um die Wette laufen. Der schnellste Läufer soll sie als Preis erringen.«

Freude erfüllte die Herzen der jungen Männer bei diesen Worten. Eifrig machten sich alle zum Rennen bereit, und jeder hoffte, sein Fuß möge so leicht sein wie der des fliehenden Hirsches.

Die Nachricht von diesem Rennen verbreitete sich in allen Lagern der Chippewa, und von nah und fern zogen die Krieger herbei. Am Morgen des Rennens versammelte sich eine große Menschenmenge am Ufer.

Die Alten, die bei dem Rennen als Richter fungieren sollten, stolzierten voller Wichtigkeit umher.

Stolze Mütter von Söhnen wollten zukünftige Bräute begutachten.

Väter suchten Söhne, die ihrer Töchter würdig wären.

Töchter wollten die Krieger sehen und von ihnen gesehen werden.

Und natürlich waren die jungen Krieger da, herrlich bemalt und mit den Federn des Adlers und des Truthahns geschmückt.

Nur ein Mitglied des Stammes fehlte – Einsamer Vogel. Sie saß allein vor dem Zelt ihrer Eltern und weinte.

Als alles zum Rennen bereit war, stellten sich die Krieger in einer Reihe auf. Bronzene Muskeln spielten in der Sonne, und Herzen dröhnten wie Kriegstrommeln. Auf ein Zeichen hin liefen alle zusammen los.

Bald setzten sich zwei Läufer von der Meute der Verfolger ab. Es waren Gespannter Bogen und Hirschjäger. Beide liebten Einsamen Vogel schon seit vielen Monden. Jeder war leichtfüßig wie ein Hirsch und schnell wie der Wind. Keiner konnte den anderen besiegen, und am Ziel konnten die Richter nicht sagen, wer Sieger geworden war.

Also liefen Gespannter Bogen und Hirschjäger noch einmal. Und wieder kamen sie Seite an Seite ins Ziel. Ein drittes Mal rannten sie, und noch immer gab es keinen Sieger.

»Laßt sie im Weitsprung gegeneinander antreten«, sagte einer.

Aber auch im Weitsprung konnte keiner den anderen besiegen.

»Laßt sie ihre Fähigkeiten als Jäger beweisen«, bestimmten die Alten.

So machten sich Gespannter Bogen und Hirschjäger am nächsten Morgen mit dem ersten Tageslicht auf in die große Ebene. Und jeder von ihnen brachte die Häute von zehn Bären und zwanzig Wölfen zurück.

Die Alten flüsterten unter sich, und ein ängstliches Summen ging durch den ganzen Stamm. Es war klar, daß der Gute Geist seine Hand im Spiel hatte. Betrübt ging Morgendämmerung heim zu seiner Tochter. Da saß Einsamer Vogel mit gebeugtem Haupt, die Augen rot vom Weinen, mit zitternden Händen und Knöcheln, die weiß waren vor Anspannung. Sein Herz war gerührt, denn er liebte sein einziges Kind zärtlich.

Er hob ihr Gesicht zu sich empor und sagte sanft: »Weine nicht, meine Tochter. Jeder Mann muß eine Frau, jede Frau einen Mann haben.«

»Lieber Vater«, antwortete sie, »was aber, wenn das für mich nicht gilt?«

Nur ein Mitglied des Stammes fehlte

Traurig ging er zu den alten Männern zurück, die noch immer am See versammelt waren.

»Das Rennen ist zu Ende«, sagte er. »Gespannter Bogen und Hirschjäger haben ihre Sache gut gemacht, aber es scheint, der Gute Geist ist nicht mit unserem Plan. Meine Tochter wird unverheiratet bleiben.«

Und so kehrten die Krieger enttäuscht in ihre Lager zurück.

Viele Sommer vergingen. Herbstblätter fielen, kalte Winterwinde bliesen über den See. Einmal im Frühling, als der Schnee zu schmelzen begann, begab sich Morgendämmerung zum Ahornsirup-Hügel, um den Saft der Ahornbäume zu sammeln und Sirup daraus zu machen. Wie immer begleitete ihn Einsamer Vogel und fing den süßen Saft in Schalen aus Birkenrinde auf. Als der Vater schließlich das Feuer entfachte, über dem der Ahornsaft eingekocht wurde, setzte sie sich auf einen Felsblock in der Nähe und sah sich um. Die Sonne schien hell und warm, die Luft war erfüllt von Kiefern- und Fichtenduft, und trotzdem war Einsamem Vogel traurig zumute. Sie dachte an ihre Eltern, an ihr silberweißes Haar und ihren schleppenden Schritt. Ihre Reise zu den Geistern stand nahe bevor.

»Was wird aus mir, wenn sie nicht mehr da sind?« dachte sie. »Ich habe keine Brüder oder Schwestern, keine Kinder, niemanden, der mit mir das Zelt teilt.«

Und zum ersten Mal fühlte sie den eisigen Griff der Einsamkeit um ihr Herz. Sie sah den Abhang hinunter: Da schoben die ersten Schneeglöckchen ihre zarten Blütenköpfe durch die Schneedecke – sie wuchsen in Büscheln, wie kleine Familien. Sie beobachtete Vögel, die eifrig Nester bauten. Auch sie waren nicht allein. Und dann schwirrte ein Schwarm Wildgänse über sie hinweg. Sie gingen auf dem See nieder und schwammen paarweise davon.

»Weder Blumen noch Vögel leben allein, nicht einmal die Wildgänse«, murmelte sie vor sich hin.

Ihre einsamen Grübeleien machten sie noch trauriger. Sie erinnerte sich daran, wie kalt sie ihre Freier abgewiesen hatte. Schon lange kam keiner mehr. Sie dachte daran, wie sehr ihr Vater sich bemüht hatte, einen Mann für sie zu finden. Er hatte es längst aufgegeben. »Und doch bin ich froh, daß ich keinen Mann genommen habe«, seufzte sie. »Niemand versteht, daß in meinem Herzen keine Liebe zu einem Mann ist.«

Lange saß sie auf dem Felsen über dem See, in düstere Gedanken versunken. Als sie sich endlich erhob, dämmerte es schon, und der Vollmond zeichnete einen schimmernden Pfad über den See.

Sehnsüchtig sah Einsamer Vogel zu der Mondscheibe empor, streckte die Arme aus und rief: »Oh, wie schön du bist! Könnte ich dich doch lieben, dann wäre ich nicht allein.«

Der Gute Geist hörte den Ruf, und er trug sie empor zum Mond.

Inzwischen hatte der Vater seine Arbeit auf dem Hügel beendet, und als er sie nirgends sah, ging er nach Hause zurück. Dort war sie aber auch nicht; also ging er wieder zum Ahornsirup-Hügel und rief laut ihren Namen: »Einsamer Vogel! Einsamer Vogel!«

Er rief und rief.

Es kam keine Antwort.

Besorgt suchte er die Bäume, die Abhänge, die Oberfläche des Sees mit den Augen ab. Schließlich sah er voller Verzweiflung zum Himmel empor, zum hell leuchtenden Mond. Konnte das sein? Ganz deutlich sah er seine Tochter auf sich herablächeln. Der Mond hielt sie in seinen bleichen Armen.

Sie schien zu sagen, daß sie glücklich sei.

Sein Kummer verflog. Adlerweibchen und Morgendämmerung machten sich keine Sorgen mehr um das Geschick ihrer Tochter. Sie wußten sie wohl geborgen in der liebenden Fürsorge des Mondes.

Viele, viele Winter sind seither vergangen. Das Volk von Einsamem Vogel und ihren Eltern ist schwach geworden und klein an Zahl. Seine Zelte sind in alle Winde zerstreut. Weiße Fremde haben ihnen ihre Jagdgründe genommen, und niemand trauert an den Gräbern ihrer Toten.

Aber noch immer blühen im Frühling die Blumen, bauen Vögel ihre Nester, fliegen die Wildgänse und schimmern die Sterne. Und wenn du zum Mond hinaufsiehst, kannst du immer noch Einsamen Vogel sehen, die auf dich herablächelt. Sie gibt ihrem Volk Hoffnung, wenn es an seinen langsam verlöschenden Lagerfeuern ihre Geschichte erzählt.

Sie versteht. Und auch sie verstehen.

Mutters Garn

Eine Saami-Geschichte aus Lappland,
vom Nördlichen Polarkreis

Vor langer, langer Zeit lebte einmal eine Frau mit ihrem Mann und ihrer Tochter Nastai.

Der alte Mann war von sehr einfachem Gemüt und tat, was man ihm sagte. Das war ihm auch ganz recht so, denn eigene Ideen hatte er nicht. Seine Frau dagegen war sehr klug, und es gab wenig, was sie nicht gewußt oder gekonnt hätte. Sie hatte viel Geduld mit dem alten Mann. So sagte sie zum Beispiel zu ihm: »Komm, mein Alter, wir brauchen frisches Fleisch.« Und dann nahm er Pfeil und Bogen und ging in den Wald.

Oder sie sagte: »Komm, Großväterchen, wir brauchen Fisch.«

Und dann brachte sie selbst das Boot zu Wasser, nahm die Ruder auf und ruderte auf den See hinaus. Sie warf das Netz aus, und er half ihr dann, das Netz voller Fische wieder einzuholen.

Die Familie lebte zufrieden und hatte alles, was sie brauchte: Fleisch und Fisch, Pelzmäntel und Federbetten. Ihre Tochter Nastai wuchs heran und lernte alles, was die Mutter wußte. Als sie groß genug war zu helfen, ging es der Familie noch besser.

Aber eines Tages kam Unglück über das alte Paar. Im ganzen Land brach eine Seuche aus und befiel auch sie. Der alte Mann überlebte, aber die Frau erholte sich nicht mehr. Bevor sie starb, rief sie Nastai zu sich.

»Ich sterbe, meine Tochter, und muß den alten Mann in deiner Obhut zurücklassen. Sieh zu, daß es ihm an nichts fehlt.« Und damit tat sie ihren letzten Atemzug.

Nastai hielt Wort. Sie machte ihrem Vater Preiselbeertee, rieb ihm die Haut mit Bärenfett ein und gab ihm die Leber von Wildtieren zu essen, damit er stark wurde. Bald war er wieder gesund und munter. In allen Lagern verbreitete sich die Nachricht, daß die weise alte Frau gestorben war und die

Tochter mit dem alten Mann allein in dem schönen, warmen Haus zurückgelassen hatte. Schließlich erfuhr auch ein Bettelweib davon, das weit weg mit seiner Tochter in einem Lager lebte. Der Wind pfiff durch die Ritzen ihrer Lehmhütte, ihre Kochtöpfe waren voller Löcher, ihre Fischernetze verrottet und ihre Harpunen zerbrochen. Sie machten sich nichts daraus. Sie hatten ein altes Rentier, und wenn sie etwas zu essen brauchten, spannten sie es vor einen Schlitten und erbettelten sich Nahrung in den umliegenden Lagern. Niemand wies ihnen die Tür, solange er selbst etwas zu essen hatte. So war es dort der Brauch.

Als das Bettelweib von dem alten Witwer hörte, fuhr es mit seinem Schlitten über Wald und Flur, bis es sein Haus erreichte. Die Alte war sehr zufrieden, als sie ihn vor seinem gemütlichen Haus sitzen sah. Um das Haus graste eine Herde Rentiere, und wohlgenährte Hunde sprangen frei herum.

»Bist du der Witwer mit der Herde Rentiere?« fragte sie.

Er nickte.

»Dann merk dir: Ich bin jetzt hier die Herrin im Haus.«

Der alte Mann starrte sie an.

Nastai war Holz sammeln gegangen. Als sie zurückkam, hörte sie fremde Geräusche aus dem Haus. Sie öffnete die Tür und sah eine zerlumpte alte Frau, die mit einem jüngeren Mädchen ein Lied plärrte. Der alte Mann saß am Tisch und schlug mit dem Löffel auf einen leeren Topf. Er lachte einfältig vor sich hin, und der Speichel tropfte ihm vom Kinn.

»Was ist das, Vater«, fragte Nastai ruhig. »Haben wir Gäste?«

»Halt den Mund, Mädchen!« kreischte das Bettelweib. »Ich bin kein Gast in meinem eigenen Haus. Ich bin die Herrin hier, stimmt’s, alter Mann?«

Und der alte Mann nickte willenlos.

Nastai tat, was man ihr sagte. Sie brachte sofort Torfbeerenmarmelade und frischen Zwieback auf den Tisch. Sie machte ein Federbett zurecht und legte Pelzdecken darüber. Inzwischen stopften sich die beiden Fremden den Bauch voll und plumpsten dann tief befriedigt auf ihr Bett. Die ganze Zeit überlegte die alte Frau, wie sie Nastai loswerden könnte.

Es war noch kaum hell, als das Bettelweib wach wurde. Sofort befahl sie dem alten Mann, die Rentiere anzuspannen und sein ganzes Hab und Gut auf einen Schlitten zu laden.

»Aber deine nichtsnutzige Tochter kann hier in ihrer Mutter Hütte bleiben«, keifte sie. »Wir drei werden bei mir zu Hause im Überfluß leben.«

Demütig spannte der alte Mann all seine Rentiere vor einen Schlitten und begann Felle und Spitze, Rentierhäute und Daunenbetten, Fuchs- und Eichhörnchenpelze, Äxte und Harpunen aufzuladen. Was noch übrig war, packten die beiden Frauen obenauf.

Es blieb kein Krümchen Brot, nicht ein Fetzchen Fleisch zurück, kein

Fisch, keine Felle, keine Decken, die Nastai in der Nacht hätten wärmen können. Es war kalt und dunkel in der leeren Hütte, und sie hatte Hunger. Wovon sollte sie leben? Sie setzte sich auf den nackten Boden und schluchzte herzzerreißend.

Plötzlich war ihr, als hörte sie die Stimme ihrer Mutter.

»Sieh dich um, Nastai.«

Sie sah sich um, suchte überall, fand aber nichts als ein Ende Garn auf dem Boden. Ja, nun erinnerte sie sich. Ihre Mutter hatte immer, wenn sie Garn spann, den Faden abgerissen und auf den Boden fallen lassen. Nastai hob das Ende auf, und wieder hörte sie die Stimme. »Nastai, denk daran, was du von mir gelernt hast.«

Sie erinnerte sich.

Sie band das Garn zu einer Schlinge und lief in den Wald bis zu einer Lichtung, auf der viele Beeren wuchsen, an denen sich immer die Rebhühner gütlich taten. Sie legte die Schlinge auf die Erde und deckte sie mit Blättern zu. Lange mußte sie warten, aber schließlich fing sie einen einzelnen lahmen Vogel. Sie nahm ihn mit nach Hause, nahm die Adern von seinen Beinen und machte daraus eine weitere Schlinge.

Diesmal fing sie zwei Rebhühner in ihrer Falle. Sie rupfte sie und hatte nun Fleisch für eine Suppe. Aber worin sollte sie sie kochen? Sie hatte weder einen Topf noch Feuer. Wieder hörte sie die Stimme.

»Komm schon, Nastai. Denk daran, was du von mir gelernt hast.«

Das Mädchen ging in den Wald zurück und suchte sich eine stämmige Silberbirke. Es riß Streifen von der Rinde ab, flocht sie zu Hause zu einer Schale und verklebte die Spalten mit Lehm. Dann legte es die Schale zum Trocknen in die Sonne und machte sich so einen Birken-Tontopf.

Dann schöpfte Nastai Wasser in ihren Topf, legte die beiden Rebhühner hinein und hängte den Topf an zwei Stöcken über den Herd. Trockenes Moos, Tannenzapfen und Zweige für das Feuer hatte sie schon vorbereitet. Nun nahm sie zwei Feuersteine und schlug sie solange aneinander, bis es einen Funken gab, der das Moos in Brand setzte.

Bald brannte ein lustiges Feuer. Das Wasser im Topf brodelte, und die Rebhühner dufteten köstlich. Nastai trank von der Suppe, aß das Fleisch und legte dann erneut ihre Falle aus.

Jeden Tag fing sie mehr Vögel. Sie nährte sich von ihrem Fleisch, machte Fallen aus ihren Adern und sammelte die Federn. In einer Ecke der Hütte hatte sich schon ein ganzer Berg Federn angesammelt, und nachts schlief sie warm und geborgen mitten darin. Das einzige Problem war, daß sie ihr immer in Mund und Nase gerieten und sie niesen und husten mußte.

Dann erinnerte sie sich, wie ihre Mutter ein Tuch gesponnen hatte.

Wieder ging sie in den Wald, brachte einen kräftigen, glatten Stock mit nach Hause und begann aus Daunen und Adern einen Faden zu spinnen. Diesen wand sie um den Stock wie um einen Spinnrocken. Sie spann das Garn und webte sich eine Decke daraus, die sie zusammennähte und mit Federn füllte. Auf den Fußboden legte sie weißes Moos und trockenes Gras und darüber ihr Daunenbett. Nun war es sauber und gemütlich in der Hütte. Das Feuer brannte, und Fleisch kochte im Topf. Alles war gut.

Mit der Zeit aber sehnte sie sich nach Gesellschaft. Wieder glaubte sie die Stimme ihrer Mutter zu hören.

»Denk daran, Nastai, was du von mir gelernt hast.«

Da hatte sie eine Idee.

Sie ging in den Wald und zog eine junge Kiefer heraus. Sie riß die Wurzeln ab, flocht sie mit Garn zusammen und machte ein starkes Lasso daraus. Dann wanderte sie viele Tage über die Ebene, bis sie eine Rentierherde sah. Sie verbarg sich gegen den Wind im langen weißen Gras und wartete geduldig. Endlich löste sich ein Kälbchen von seiner Mutter und wanderte auf die Stelle zu, wo sich Nastai verborgen hielt. Ehe es sich versah, hatte sie ihm das Lasso über den Kopf geworfen und es zu sich herangezogen.

Sie führte es nach Hause und umsorgte es mit aller Liebe. Sie fütterte es mit Gras und Moos und brachte ihm zu trinken, und das Tierchen verlor bald jede Angst und lief hinter ihr her, als wäre sie seine Mutter. Und sie legte sich einen Wintervorrat an Heu und Moos für das Rentier an, wenn der Winter käme.

Das brachte sie darauf, daß sie für sich selbst keine Wintervorräte gesammelt hatte, daß sie keinen warmen Mantel, keine Stiefel besaß. Wieder hörte sie die Stimme ihrer Mutter.

»Nastai, denk daran, was du von mir gelernt hast.«

Diesmal ging sie hinunter zum See, wo eine Weide wuchs. Sie brach einen Zweig ab, bog ihn zusammen und band die Enden mit ihrem Lasso zusammen. Nun hatte sie einen starken, federnden Bogen. Sie sammelte eine Menge gerader Zweige, trocknete sie über dem Herd und trieb scharfe Feuersteinsplitter in die Enden.

Es begann zu schneien.

Nastai band das kleine Rentier neben der Hütte an und ging auf die Jagd. Sie zielte sorgfältig, ehe sie ihre Pfeile abschoß, und erlegte ein Eichhörnchen und einen Silberfuchs. Sie zog ihre Beute heim, zog das Fell ab, säuberte es und hängte es zum Trocknen auf.

Am nächsten Tag ging sie wieder hinaus. Als sie mit weiterer Beute aus dem Wald kam, sah sie die Rentiermutter neben dem Jungen stehen.

»Jetzt ist alles aus«, dachte Nastai traurig. »Sie hat ihr Kind gefunden und wird es mit fortnehmen.« Aber die Rentierkuh blieb.

In diesem Winter fiel viel Schnee. Also fütterte Nastai sie von ihrem Vor-

Sie zielte sorgfältig, ehe sie ihre Pfeile abschoß

rat an Heu und Moos. Dann erschienen zu ihrem Entzücken der Rentierbulle und sein Sohn, bald gefolgt von weiteren Mitgliedern der Herde.

Das Mädchen saß am warmen Herd und nähte sich mit einer Nadel aus Vogelknochen einen Mantel aus Eichhörnchenfellen und eine Silberfuchskappe. Sie zerbrach sich den Kopf, wie sie die Herde zusammenhalten könnte. Sobald es Frühling wurde, würde sie sich sicherlich über die ganze Ebene zerstreuen. Und wieder hörte sie die Stimme ihrer Mutter.

»Nastai, denk daran, was du von mir gelernt hast.«

Nastai ging in den Wald. Sie suchte lange, bis sie eine Wolfshöhle fand, in der vier junge Wölfe lagen. Als die Mutter weg war, holte sie die Jungen heraus und nahm sie mit. Sie fütterte sie mit Eichhörnchenfleisch, gab ihnen frisches Wasser zu trinken, und als sie größer wurden, brachte sie ihnen bei, auf die Herde aufzupassen. Die Wolfsjungen gehorchten ihr, folgten ihr auf dem Fuß und waren bald so geschickt wie nur irgendein Hund.

Jetzt hatte sie Milch und Fleisch, Felle und Häute und viele, viele Tiere zur Gesellschaft.

In der Zwischenzeit verschleuderten das Bettelweib und seine Tochter Hab und Gut des alten Mannes, während er jagte, die Herde hütete, kochte und saubermachte. Ein Jahr war vergangen, und nichts war mehr übrig. Nur das lahme alte Rentier war noch da. Also spannte es die alte Frau eines Tages vor den klapprigen Schlitten und machte sich fertig zur Rückreise.

»Wir gehen zurück ins Saami-Land«, sagte sie zu dem alten Mann. »Dort warst du doch ganz gut im Fischen und Jagen.«

Und bei sich selbst dachte sie: »Ja, und dieses Mädchen wird längst tot sein, und die Wölfe werden jede Spur von ihr getilgt haben.«

Sie fuhren also alle wieder durch Wald und Flur, bis sie ins Saami-Land kamen. Wie staunten sie, als sie eine Herde kräftiger Rentiere um die Hütte grasen sahen, gehütet von vier wohlgenährten Hunden, und neben der Hütte saß Nastai in ihrem Eichhörnchenmantel mit der Silberfuchskappe.

»Willkommen daheim, Vater«, sagte sie voller Freude. »Du mußt hungrig und müde sein von der langen Reise. Komm herein und iß ein bißchen Rebhuhnsuppe und ruh dich aus auf meinem Federbett.«

Der alte Mann starrte von der Rentierherde auf sein altes, lahmes Tier, von seiner freundlichen Tochter auf die zwei Bettelweiber – und langsam hob er die Hand an den Kopf. Dann machte er zum ersten Mal in seinem Leben den Mund auf und brüllte wie ein wildgewordener Rentierbulle:

»Du schlechtes Weib, mach daß du wegkommst! Und nimm deine Tochter mit.«

Mit aller Kraft gab er dem Rentier einen Schlag auf die Kruppe, daß es auf und davon rannte und die beiden auf demselben Weg zurückbrachte, auf dem sie gekommen waren. Und er blieb für immer bei seiner Tochter.

Der unzufriedene Ehemann

Von dieser lustigen Geschichte gibt es viele Versionen;
diese hier stammt aus Tallin in Estland

Ein Ehemann war dauernd am Nörgeln und erzählte seiner Frau jeden Tag, was sie doch für ein schlaues Leben hätte.

»Ich rackere mich den ganzen Tag auf dem Feld ab, während du warm und gemütlich zu Hause sitzt«, sagte er.

Meist seufzte die Frau darauf nur, gab auf sein Gerede keine Antwort. Doch eines Tages riß ihr der Geduldsfaden. »Na schön«, sagte sie. »Wenn meine Arbeit so einfach ist, dann laß uns doch einmal einen Tag lang tauschen. Ich gehe aufs Feld, und du bleibst zu Hause und machst meine Arbeit.«

Der Mann grinste. »Abgemacht«, sagte er und rieb sich die Hände. »Morgen mache ich die Hausarbeit, und du mähst die Wiese.«

Bevor die Frau am nächsten Morgen das Haus verließ, erklärte sie ihm, was er zu tun hatte. »Mach mir zu Mittag eine Hafergrütze und etwas Butter zum Brot. Und vergiß nicht, die Kuh auf die Weide zu bringen.«

Der Mann lachte nur. »Ich werde es schon schaffen«, meinte er.

Als die Frau gegangen war, zündete er sich erst einmal eine Pfeife an und überlegte, was er alles zu tun hatte. Er beschloß, als erstes die Hafergrütze zuzubereiten – da war ja wohl nichts weiter dabei. Er füllte einen Topf mit Wasser und schüttete die Haferflocken hinein. Dann wollte er Feuer im Herd machen, aber bis es schließlich brannte, war ihm mehr als einmal die Pfeife ausgegangen, und er hatte innehalten müssen, um sie wieder anzuzünden. Endlich begann der Haferbrei zu brodeln, und er rührte ihn fleißig um, wie es sich gehörte. Dann aber wurde er abgelenkt, weil er die Kuh muhen hörte, die er über seine Anstrengungen mit dem Feuer vergessen hatte.

»Während ich die Kuh auf die Weide bringe, brennt mir bestimmt die Grütze an«, dachte er. »Ich weiß, was ich mache: Ich schütte einfach noch mehr Wasser dazu, dann habe ich mehr Zeit.«

Also lief er zum Brunnen und kehrte mit einem Kübel voll Wasser zurück. In seiner Eile schüttete er aber solch einen Schwall Wasser in den Topf, daß das Feuer ausging. Es blieb ihm nichts anderes übrig, als neu anzufangen. Er räumte die Asche aus, baute einen neuen Holzstoß aus Reisig und Stroh, zündete ihn an und setzte den kalten Brei wieder auf das Feuer.

Inzwischen muhte die Kuh lauter denn je. Aber bestimmt würde der Topf überkochen und das Feuer auslöschen, sobald er mit ihr in Richtung Weide ging. Was sollte er nur tun?

»Ich weiß. Ich binde die alte Kuh einfach neben dem Haus an; dann kann sie da Gras fressen. Dort schmeckt es genauso gut wie auf der Weide.«

Also führte er die Kuh aus dem Stall, band ihr ein Seil um den Hinterfuß, machte das andere Ende am Türpfosten fest und rannte zurück zum Herd.

In der Küche aber fiel ihm ein, daß er noch keine Butter gemacht hatte – schnell lief er also in den Schuppen und holte Butterfaß und Sahne.

Immer noch bester Laune setzte er sich hin und begann zu buttern. Die Arbeit machte Durst, und da er Zeit genug hatte, wollte er seinen Durst mit einem Schluck Apfelmost aus dem Faß im Schuppen stillen.

Vor lauter Eile vergaß er, die Küchentür zuzumachen.

Oje, oje!

Gerade in diesem Augenblick schnüffelte ein Schwein mit sieben Ferkeln durch den Hof, und als sie die offene Küchentür sahen, steckten sie die Rüssel hinein. Der Mann sah die Eindringlinge, lief schnell zum Haus zurück und vergaß, den Hahn am Faß wieder zuzudrehen.

Zu spät! Die Ferkel hatten sich schon über die halbfest geschlagene Sahne hergemacht und schmatzten und grunzten nach Herzenslust. Ihn packte derartig die Wut, daß er nach dem Erstbesten griff, was ihm in die Hände fiel – es war ein Stück Holz – und es nach dem Mutterschwein warf. Bumm! Er traf es am Kopf, und es fiel tot um.

Die Ferkel trieb er eins ums andere aus der Küche, und zum Schluß zog er das tote Schwein am Schwanz heraus in den Hof. Er hatte jetzt einen feuerroten Kopf und schnaufte wie eine Lokomotive. Aber er hatte keine Zeit, sich auszuruhen, denn jetzt fiel ihm plötzlich der Zapfhahn wieder ein. Als er zurückrannte, schwamm schon der halbe Schuppen in Apfelmost, und das Faß war leer.

Ein scheußliches Durcheinander!

Verzweifelt sah er sich um, ob nicht noch mehr Sahne da wäre, aus der er Butter machen könnte. Zu seinem Glück fand er noch welche und machte sich wieder ans Buttern. Allmählich dämmerte es ihm, daß das Faß vielleicht Risse bekommen würde, wenn es so ganz leer herumstand und austrocknete. Also lief er wieder zum Brunnen.

Als er aber aus dem Haus stürzte, das Butterfaß immer noch in der Hand,

Je mehr er zappelte, um herauszukommen, desto mehr steckte er fest

22

übersah er das Seil, mit dem er die Kuh angebunden hatte. Er stolperte darüber und fiel mit dem Gesicht, pflatsch, mitten in einen Kuhfladen. Das schwere Butterfaß flog ihm aus der Hand, traf die Kuh am Bein, und – krach! – brach das Bein mitten entzwei, und die arme Kuh fiel stöhnend um.

Er wischte sich den Schweiß vom Gesicht, schleppte sich auf wackligen Beinen zum Brunnen und zog das Butterfaß hinter sich her. Er stellte es auf dem Brunnenrand ab und ließ den Eimer hinunter. Ach herrje! Könnt ihr euch denken, was jetzt geschah? Als er den Eimer wieder hochzog, stieß dieser gegen das Butterfaß, so daß es mit einem große Platsch ins Wasser fiel. Was für schreckliche Sachen!

Sahne und Butterfaß lagen also jetzt im Brunnen. Seine Frau würde ohne Butter auskommen müssen. Düster machte er kehrt, um das Apfelmostfaß mit Wasser zu füllen. Aber: Da roch doch etwas angebrannt?

»Oh, verflixt!« zischte er wütend. »Das ist die Hafergrütze; die habe ich doch glatt vergessen.«

Wieder in der Küche, probierte er den angebrannten Brei und fand, mit einem Stich Butter sei er vielleicht noch zu retten. Also wanderte er zurück in den Schuppen und sah nach, ob irgendwo noch etwas Butter war.

Er durchsuchte alle möglichen Behältnisse, aber das Glück schien ihn verlassen zu haben. Schließlich lehnte er sich weit über die letzte Kiste, die noch übrig war, um besser hineinsehen zu können – verlor das Gleichgewicht und fiel kopfüber hinein!

In der Kiste war Mehl, und je mehr er zappelte, um herauszukommen, desto mehr steckte er fest.

Als seine Frau nach Hause kam, wunderte sie sich, daß niemand da war. Aber wie sah es hier bloß aus!

Das Schwein lag auf dem Rücken – mausetot.

Die Küche schwamm in Sahne.

Neben dem Haus lag die Kuh mit gebrochenem Bein.

Das Butterfaß war verschwunden.

Der Breitopf war schwarz verbrannt.

Und ihr Mann war nirgends zu sehen!

Erst als sie einen Blick in den Schuppen warf, sah sie zwei wild zappelnde Beine aus der Mehlkiste ragen. Sofort zog sie ihn heraus und klopfte ihm den Mehlstaub ab.

Sie sagte kein Wort über das schreckliche Durcheinander. Sie räumte auf, kochte eine neue Hafergrütze, ließ ihrem Mann etwas übrig und ging wieder aufs Feld.

So wurde es schließlich Abend.

Aber von diesem Tag an machte der Mann seiner Frau nie wieder Vorwürfe, noch behauptete er, seine Arbeit sei anstrengender als ihre.

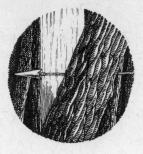

Gulnara, die Kriegerin

Eine Tatarengeschichte aus dem Grenzgebiet zwischen dem westlichen Sibirien und der Mongolei

In den blauschimmernden Bergen des Altai-Gebirges lebten einst drei Mädchen mit ihrem Vater und einer gescheckten Stute. Das Land wurde regiert von einem grausamen, verschwenderischen Khan, der einen Krieg nach dem anderen führte. Das Geld, das er dazu brauchte, holte er sich von seinem Volk in Form von hohen Steuern.

Eines Tages kam ein Reiter mit einer Botschaft in ihr Lager. »Unser Khan stellt eine Armee auf, um Kuslun Khan zu bekriegen. Du mußt sofort kommen, Olekschin.«

Der gute alte Mann war höchst bestürzt.

»Ich tauge nicht mehr für den Krieg«, sagte er. »Meine Knochen sind brüchig, meine Augen trübe; ich habe kaum noch Zähne, und mein Haar ist so weiß wie Schnee.«

Aber der Reiter warnte ihn: »Wenn du nicht freiwillig kommst, werden sie dich holen.«

Der Mann ritt fort, und Olekschin rang die Hände und klagte: »Hätte ich statt der Töchter doch einen Sohn; der wäre für mich in den Krieg gezogen.«

Daraufhin rief seine älteste Tochter Taskira aus: »Vater, du bist zu alt, um in den Krieg zu ziehen. Ich werde an deiner Stelle gehen.«

Sie warf sich den Bogen über die Schulter, legte die Rüstung an, umgürtete sich mit dem Schwert und bestieg die gescheckte Stute.

Sie ritt über Berge und durch Ströme und Wüsten, bis sie zum Temir-taiga kam, dem Eisernen Berg. Und dort versperrte ihr ein schwarzer Fuchs mit einem Schwanz, drei Meilen lang, den Weg. Die gescheckte Stute fürchtete sich, schnarchte laut und machte kehrt. Das Mädchen mochte noch so heftig am Zügel ziehen – die Stute ging durch und machte nicht eher Halt, bis sie zu Hause ankam. Dort fiel Taskira bewußtlos aus dem Sattel.

Als sie die Augen öffnete, sah sie ihren Vater über sich gebeugt. »Du hast nur Zeit verloren«, schimpfte er. »Jetzt wird mich der Khan bestrafen, weil ich zu spät komme.«

Der alte Olekschin legte seine Rüstung an und packte seinen Bogen, wobei er vor sich hinbrummte: »Töchter sind wie Steine im Bauch der Mutter. Was gäbe ich nicht für einen Sohn!«

Als er gerade abreiten wollte, kam seine zweite Tochter, Anara, angelaufen und fiel ihm in den Zügel.

»Du bist zu alt für den Krieg«, rief sie. »Laß mich an deiner Stelle reiten.«

»Dann paß aber auch auf, daß du nicht kehrtmachst wie deine Schwester.«

Sie gürtete sich mit ihres Vaters Schwert, hing sich den Bogen über die Schulter, bestieg die gescheckte Stute und machte sich auf den Weg.

Sie ritt über Berge und durch Ströme und Wüsten, bis sie zum Temir-taiga kam. Plötzlich schoß ein Wolf mit einem drei Meilen langen Schwanz aus den düsteren Klüften des Berges und versperrte ihr den Weg.

Die Stute stieg voller Entsetzen, drehte um und raste so schnell zurück, daß das Mädchen die Besinnung verlor. So kamen sie wieder zu Hause an.

»Du hast nur Zeit verloren«, brummte der Vater, als er seine zweite Tochter sah. »Der Khan wird mich bestrafen, weil ich zu spät komme.«

Laut sein Geschick bejammernd gürtete er schnell sein Schwert um. Aber als er gerade wegreiten wollte, kam seine jüngste Tochter Gulnara angelaufen, nahm ihm die Zügel aus der Hand und rief: »Halt, Vater, ich werde für dich zum Khan gehen.«

Damit ging sie und wollte die Rüstung anlegen, aber sie war ihr zu klein. Der alte Olekschin mußte den ganzen Tag und die Nacht hindurch arbeiten, bis sie ihr paßte – so groß und stark war das Mädchen. Endlich konnte sie sie anlegen und sich auch mit Schwert und Bogen wappnen. Sie warf ihren schwarzen Zopf über die Schulter, bestieg die gescheckte Stute und raste davon wie der Wind.

Gulnara trieb sie über Berge und durch Ströme und Wüsten, bis sie zum Temir-taiga kamen. Und dort versperrte ihr ein Hirsch mit einem sechsfachen Geweih den Weg. Die Stute stieg, schnarchte vor Angst und versuchte durchzugehen. Aber Gulnara hielt sie straff am Zügel. Sie spannte ihren schwarzen Bogen und schoß einen Pfeil auf den Hirsch ab, der ihn an die eiserne Wand nagelte. Dann galoppierte sie weiter.

Sie ritt und ritt, bis sie schließlich zum eisernen Zelt des Khan kam. Sie ging kühn hinein und setzte sich zwischen Eingang und Feuer nieder.

Der Khan sah überrascht zu ihr hin.

»Was bist du für ein Herr, daß du dich nicht verneigst vor dem Khan?« grollte er.

»Ich bin kein Herr. Ich bin Gulnara, ein einfaches Tatarenmädchen«, erwiderte sie. »Mein Vater zählt viele Jahre. Seine Knochen sind brüchig, seine Augen trüb, sein Haar, früher schwarz, ist jetzt wie Schnee. Ich komme an seiner Stelle.«

»Meine Horde ist schon auf halbem Weg zu Kuslun Khans Lager«, sagte der große Khan. »Wie willst du sie je einholen?«

»Nichts einfacher als das«, sagte sie.

Damit verließ sie das eiserne Zelt, bestieg ihre Stute und raste davon wie der Wind. Sie ritt so schnell, daß sie Spinnweben vom Himmel fegte und den Sand so hoch aufwirbelte, daß er die Sonne verdunkelte. Im Nu hatte sie die Goldene Horde überholt und ritt nun neben den neun Generälen her, die die neun Standarten mit den Yakschwänzen trugen.

Gulnara war das einzige Mädchen unter neuntausend Kriegern.

Bald begannen die Generäle zu murren.

»Was nützt uns schon ein Mädchen?«

»Krieg ist Männersache!«

»Wenn es losgeht, rennt sie sicher schnurstracks nach Hause.«

Gulnara tat, als hörte sie sie nicht.

Schließlich kamen sie an einen finsteren Wald, der kein Ende nehmen wollte. Die neun Generäle befahlen ihren Leuten, eine Schneise hindurchzuschlagen. Sie plagten sich den ganzen Tag ohne Pause, aber am Abend, als sie zu ihren Zelten zurückkehrten, hatten sie doch nur ein paar Schritt eindringen können, so dicht standen die Bäume.

Am nächsten Tag bestieg Gulnara mit den ersten Sonnenstrahlen ihr Pferd und galoppierte davon. In einiger Entfernung hielt sie an, nahm einen Pfeil aus dem Köcher und legte ihn auf den Bogen. Die Bogenenden begegneten sich, ihr Daumen schlug Funken, und der Pfeilkopf sprühte Feuer, als er von der Sehne schnellte. Er spaltete die Bäume mittendurch, als seien sie nicht mehr als Frauenhaar.

Als die Generäle das sahen, standen sie wie angewurzelt. Die Soldaten begannen unruhig zu werden.

»Das ist kein Mädchen! Kein Mädchen kann so gut schießen!«

Gulnara ärgerte sich über ihre Worte. Sie stellte sich auf einen Hügel vor sie hin, groß und stolz. Dann entblößte sie ihre Brüste, so daß alle sie sehen konnten – es war kein Zweifel möglich. Die erst so kühnen Krieger senkten beschämt den Kopf und hüteten fortan ihre losen Zungen.

Die Horde durchquerte den Wald auf dem Pfad, den der Pfeil ihnen gebahnt hatte, bis sie an einen Strom kamen, der ebenso breit wie reißend war. Am anderen Ufer standen die Zelte ihres Feindes Kuslun Khan. Aber sie konnten nicht hinüberkommen.

Die neun Generäle berieten sich. Was war zu tun? Es sah so aus, als ginge

Sie stellte sich auf einen Hügel vor sie hin, groß und stolz

27

es nicht weiter. Aber als alle schliefen, verwandelte sich Gulnara in einen Vogel, flog über das stürmische Wasser und landete neben dem Rauchabzug von Kusluns Zelt. Dort saß sie und hörte zu, was gesprochen wurde.

Der alte Kuslun saß am Feuer und unterhielt sich mit seiner Frau. »Die Horde wird nicht über den Fluß kommen; wir sind sicher«, sagte er.

»Gibt es wirklich keinen Übergang?« fragte sie.

»Doch, aber den kenne nur ich«, antwortete Kuslun. »Er ist bei Temir-terek, der Eisernen Pappel.«

»Aber wenn die Horde ihn doch findet?«

»Dann verwandle ich meine Herden und meine Leute in Asche und Sand und lasse nur die Alten und die Lahmen zurück.«

»Und was wird aus uns?«

»Mich verwandle ich in ein Kamel, dich in ein eisernes Gewicht und unsere Tochter Altyn-Yustock in eine Silberbirke.«

Das genügte Gulnara. Sie flog zurück und schlief bis zum Morgen.

Als die Sonne gerade erst aufging, weckte sie die schlafenden Männer und hieß sie, ihr zu folgen.

Sie bestieg die gescheckte Stute und ritt zur Temir-terek, fand den Übergang – eine Brücke aus Roßhaar von einem Ufer zum anderen – und führte sie hinüber.

Aber als sie das Lager des Feindes erreichten, war dort niemand zu sehen: Kein Kuslun Khan, kein Weib, keine Herden, keine Gefolgsleute. Nur die Alten und die Lahmen lagen in den Zelten.

»Wir werden dem Khan sagen müssen, daß wir Kuslun geschlagen und nur diese paar Gefangenen gemacht haben«, sagten die Generäle.

Mittlerweile band Gulnara ein altes Kamel an den Schweif ihrer Stute.

»Wozu brauchst du denn das Kamel?« fragten sie.

»Mein Vater kann es zum Holztragen brauchen«, erwiderte sie.

Dann füllte sie ihre Packtaschen mit Sand und Asche.

»Was willst du denn damit?« fragten sie.

»Mein Vater kann die Asche brauchen, wenn er Werkzeug schmiedet«, antwortete sie. »Und er kann Sand auf das heiße Eisen streuen.« Damit hob sie ein eisernes Gewicht auf, das neben dem Zelt lag.

»Habt ihr zu Hause kein Eisen, um ein Gewicht daraus zu machen?« fragten sie.

»Warum eines machen, wenn man ein fertiges haben kann? Meine Schwester kann es brauchen, um damit Häute zu glätten.«

Schließlich riß sie eine Silberbirke aus der Erde. Die Generäle sahen es mit Verblüffung und riefen: »Als ob wir zu Hause keine Birken hätten! Was willst du denn damit?«

»Das gibt einen Besenstiel«, war alles, was sie darauf sagte.

Die Horde machte sich auf den Rückweg und kam schließlich wieder zum Khan. Sie zeigten ihm die alten und lahmen Gefangenen und sagten: »Wir hatten einen fürchterlichen Kampf mit Kuslun Khan zu bestehen, aber dank unserer Klugheit und Tapferkeit blieben wir Sieger. Alle seine Männer haben wir getötet; nur diese paar sind übrig geblieben.«

»Zu schade, daß ihr Kuslun nicht lebend gefangen habt«, seufzte der Khan.

Da lachte Gulnara laut auf, und alle sahen sie an.

»Nun seht euch meine Trophäen an«, rief sie.

Sie führte das Kamel nach vorn, gab ihm einen kräftigen Hieb – und da kauerte Kuslun höchstselbst auf dem Boden. Dann warf sie das eiserne Gewicht auf die Erde, und es verwandelte sich in Kusluns Weib. Und als sie die Silberbirke schüttelte, da erschien Altyn-Yustock, ihre Tochter.

Die Generäle starrten nur so. Und dann nahm sie ihre Satteltaschen und leerte den Sand und die Asche aus. Und mit einem Male wogten unendliche Herden um sie her, und es erhoben sich mehr Leute, als Bäume im Wald standen.

»Das habe ich mitgebracht«, sagte Gulnara.

Damit sprang sie auf ihre Stute und ritt nach Hause.

Manche sagen allerdings, daß damit die Geschichte noch nicht zu Ende war. Sie sagen, die neun Generäle und der Khan wollten das kriegerische Mädchen gerne loswerden und luden es ein, zurückzukommen und sich seine Belohnung abzuholen.

In dem eisernen Zelt hatten sie ein weißes Satinkissen für Gulnara bereitgelegt, darunter aber war ein tiefes Loch voller Giftschlangen.

Gulnara aber war nicht nur stark, sondern auch klug. Als sie eintrat, merke sie, daß alle zu dem Satinkissen hinsahen.

»Auf diesem Kissen darf nur der Khan selbst sitzen!« rief sie.

Da erschrak der Khan und wollte sich davonmachen, und seine neun Generäle mit ihm. Aber Gulnara nahm den Khan in ihre starken Arme, hob ihn hoch und setzte ihn auf das weiße Satinkissen. Kissen und Khan fielen hinunter in die Schlangengrube.

Dann hob sie einen General nach dem anderen hoch und warf ihn hinterher. Mit bloßen Händen riß sie das eiserne Zelt in Fetzen.

Dann bestieg sie ihre gescheckte Stute und ritt nach Hause.

»Liebe Schwestern und Brüder«, sagte sie dort zu ihrem Volk. »Ihr könnt jetzt in Frieden leben. Es gibt keinen Khan mehr, der euch zum Kriegsdienst preßt und Steuern erhebt. Ich werde euch beschützen.«

Wie stolz und glücklich da die Menschen waren, daß ihre eigene Gulnara klüger und stärker war als alle Generäle der Goldenen Horde!

Katharina die Kluge

Eine Geschichte aus Sizilien

Es war einmal ein kluges Mädchen, das lebte mit seinem Vater, einem reichen Kaufmann, in Palermo. Es war so klug, daß es in allen Angelegenheiten des Haushalts das Sagen hatte. Niemand kam ihm gleich, wenn es um das Studium fremder Sprachen oder um Bücher ging. Der Vater war sich der Fähigkeiten seiner Tochter bewußt und nannte sie nur Caterina la Sapiente – Katharina die Kluge.

Als Katharina sechzehn war, starb ihre Mutter. Katharina war so betrübt, daß sie sich in ihrem Zimmer einschloß und nicht mehr herauskommen wollte. Sie aß und schlief in ihrem Zimmer und wollte von Büchern oder irgendeiner Art von Zerstreuung nichts wissen. Voller Verzweiflung berief der Vater schließlich eine Versammlung ein und fragte um Rat.

»Ihr Herren«, sagte er. »Ihr wißt wohl, daß ich eine Tochter habe, die mein Augapfel ist. Seit ihre Mutter gestorben ist, hat sie sich in ihrem Zimmer eingeschlossen und steckt nicht einmal mehr die Nasenspitze nach draußen. Was soll ich nur machen?«

Die Versammlung beriet viele Stunden lang und gab ihm dann diese Antwort: »Eure Tochter ist in der ganzen Welt für ihre Klugheit bekannt. Gebt ihr eine Schule, damit sie andere lehren kann. Das wird sie von ihrem Kummer heilen.«

Katharina war mit dem Plan ihres Vaters einverstanden. Sie stellte Lehrer ein und hängte ein Schild an die Tür:

> *Wer mit*
> *Katharina der Klugen*
> *studieren will, ist willkommen*
> *kostenlos*

Es kamen Scharen von Kindern, und Katharina setzte sie ohne Ansehen der Person und der Herkunft nebeneinander.

»Aber der Junge ist ein Schornsteinfeger!« beklagte sich einer.

»So?« erwiderte Katharina. »Der Schornsteinfeger muß neben der Königstochter sitzen. Zusammen lernen sie viel besser.«

Und so fing die Schule an. Ob arm oder reich, Katharina behandelte alle gleich. Sie hatte einen Lederriemen in der Schublade, und wehe dem, der nicht ordentlich lernte!

Die Schule erwarb sich solch einen Ruf, daß der Prinz selbst eines Tages beschloß hinzugehen. Er kam in seinem ganzen königlichen Staat, und Katharina setzte ihn in die hintere Reihe. Als er mit Kopfrechnen an der Reihe war, verrechnete er sich andauernd und bekam von Katharina kräftig eins aufs Ohr, so daß das Ohr ganz rot wurde und nur so brannte.

Der Prinz war rot vor Scham und konnte es kaum erwarten, bis die Schule aus war. Als er nach Hause rannte, kam ihm eine Idee. Er ging sofort zu seinem Vater und trug ihm eine seltsame Bitte vor. »Eine Gunst, Majestät. Ich möchte meine Lehrerin Katharina die Kluge heiraten.«

Der König ließ Katharinas Vater holen. Der kam sogleich und kniete vor dem König nieder.

»Erhebe dich«, sprach der König. »Mein Sohn hat eine Neigung zu deiner Tochter gefaßt. Was ist da zu tun? Am besten verheiraten wir sie, oder?«

»Mit Vergnügen, Majestät«, sagte der Vater. »Aber ich bin nur ein Kaufmann, und Euer Sohn ist königlichen Geblüts.«

»Das hilft alles nichts – mein Sohn muß seinen Willen haben«, erwiderte der König.

Der Kaufmann ging nach Hause und sagte zu seiner Tochter: »Katharina, der Prinz will dich heiraten. Was sagst du dazu?«

»Mir recht«, sagte sie, denn ihr war alles gleich.

Es fehlte nicht an Wolle für die Bettstatt oder an Holz für die Möbel. In einer Woche war die ganze Ausstattung fertig. Der Prinz erschien in der Kirche mit einem Dutzend Brautjungfern, und die Hochzeit wurde gefeiert. Als er aber mit seiner Braut allein zu Hause war, sagte der Prinz: »Katharina, erinnerst du dich an die Ohrfeige, die du mir gegeben hast? Ich hoffe, sie tut dir jetzt leid?«

»Leid? Wenn du willst kannst noch eine haben, aufs andere Ohr.«

»Du meinst, es tut dir überhaupt nicht leid?«

»Nicht im geringsten.«

»Schön, dann werde *ich* dir ein paar Sachen beibringen, bis du um Gnade bittest«, rief er wütend und ließ die Wache kommen.

»Katharina, das ist deine letzte Chance. Sag, daß es dir leid tut, oder ich lasse dich in den Kerker werfen.«

»Dort ist es sicher schön kühl«, erwiderte sie ungerührt.

Also band ihr die Wache ein Seil um den Körper und ließ sie durch eine Falltür in einen Kerker hinunter. Sie hatte nichts als einen kleinen Tisch, einen Stuhl, einen Krug mit Wasser und eine Brotrinde.

Am nächsten Morgen hob der Prinz die Falltür hoch und rief hinunter zu seiner Braut: »Nun, wie war die Nacht?«

»Sehr erfrischend«, war ihre Antwort.

»Denkst du auch an die Ohrfeige, die du mir gegeben hast?«

»Ich denke an die, die ich dir jetzt schulde«, sagte sie.

Es vergingen zwei Tage, und der Hunger zwang sie, sich etwas einfallen zu lassen. Sie zog eine dünne Stahlstange aus ihrem Mieder und machte ein Loch in die Wand. Sie kratzte so lange, bis sie einen Lichtschimmer sah, und als das Loch größer wurde, konnte sie in die Straße hinuntersehen. Und zufällig kam gerade ihres Vaters Schreiber vorbei.

»Don Tommaso! Don Tommaso!« rief sie.

Don Tommaso konnte zuerst nicht verstehen, wieso er eine Stimme aus der Wand hörte.

»Ich bin's, Katharina. Sagt meinem Vater, daß ich ihn sofort sprechen muß.«

Im Nu war der Schreiber mit dem Kaufmann zurück und zeigte ihm die sprechende Wand.

»Väterchen«, sagte Katharina. »Ich sitze in einem Kerker unter dem Palast gefangen. Laß einen Tunnel graben von unserem Haus hierher, mit einem Bogen und einer Fackel alle zwanzig Schritt. Den Rest überlaß nur mir.«

Der Kaufmann versprach es und brachte ihr in der Zwischenzeit immer zu essen. Brathühnchen, heiße Pasteten und Kuchen wurden durch das Loch gereicht.

Dreimal am Tag hob der Prinz die Falltür und schrie hinunter: »Katharina, tut dir die Ohrfeige jetzt leid?«

»Was soll mir leid tun? Warte nur, bis ich dich in die Finger kriege – dann hast du erst Grund zum Schreien!«

Endlich war der Tunnel gegraben, mit einem Bogen und einer Laterne alle zwanzig Schritt. Katharina konnte nun nach Belieben ein- und ausgehen.

Nicht lange, und der Prinz wurde des Spiels überdrüssig. Eines Tages öffnete er die Falltür und rief hinunter: »Katharina, ich fahre nach Neapel. Hast du mir etwas zu sagen?«

»Viel Vergnügen, und schreib mir sofort, wenn du angekommen bist.«

»Findest du wirklich, ich sollte gehen?«

»Wie? Bist du immer noch da? Ich dachte, du wärst schon fort.«

Also ging er.

Kaum war er weg, da eilte Katharina zu ihres Vaters Haus.

»Väterchen, du mußt mir helfen. Gib mir sofort ein Schiff, Bedienstete, feine Kleider und eine Anstandsdame. Ich muß nach Neapel. Dort werde ich ein Haus gegenüber vom Palast mieten.« Und schon segelte sie davon, mit kurzem Vorsprung vor der Brigg des Prinzen.

In Neapel erschien Katharina jeden Tag auf dem Balkon ihres Hauses, jeden Tag in einem Kleid, das noch schöner war als das vom Tag vorher. Und jeden Tag sah sie der Prinz und seufzte: »Ach, wie sieht sie doch meiner Katharina ähnlich!« Er verliebte sich so sehr in sie, daß er sie schließlich durch einen Boten fragen ließ, ob er sie besuchen dürfe.

»Aber gern«, war ihre Antwort.

Der Prinz erschien in großer Aufmachung und überschlug sich erst einmal vor Komplimenten, bevor er sich hinsetzte und ein Gespräch begann.

»Sagt mir, Signora«, fragte er. »Seid Ihr verheiratet?«

»Seid Ihr es denn?« fragte sie zurück.

»O nein«, sagte er schnell.

»Dann bin ich es auch nicht.«

»Aber Ihr seht einer Dame ähnlich, die mir in Palermo ganz außerordentlich gefallen hat. Würdet Ihr wohl meine Frau werden?«

»Mit Vergnügen«, antwortete sie.

Innerhalb einer Woche waren sie verheiratet.

Nach neun Monaten gebar Katharina einen Sohn, der so schön war, daß es mit Worten kaum zu beschreiben ist.

»Prinzessin«, sagte der Prinz. »Wie soll unser Sohn heißen?«

»Neapel«, sagte sie.

Also nannten sie ihn Neapel.

Es vergingen zwei Jahre, und der Prinz beschloß, wieder auf Reisen zu gehen. Natürlich war die Prinzessin unglücklich, daß er sie mit dem kleinen Sohn allein lassen wollte, und sie sagte ihm das auch. Aber sie erreichte nur, daß er ein Papier unterzeichnete, in dem stand, daß der Kleine sein Erstgeborener sei und eines Tages König werden würde. Dann fuhr er nach Genua.

Kaum war er abgefahren, als Katharina ein Schiff mietete, das sie mit Bediensteten, Anstandsdame und allem nach Genua beförderte. Da ihr Schiff kleiner und schneller war, kamen sie vor dem Prinzen in Genua an. Sofort mietete sie ein Haus gegenüber vom Palast, und als der Prinz ankam, sah er sie auf dem Balkon stehen.

»Santo cielo!« rief er aus. »Wie sieht sie meiner Katharina der Klugen ähnlich, von der Dame aus Neapel ganz zu schweigen!«

Und er sandte einen Boten hinüber und bat, sie besuchen zu dürfen. Ka-

Katharina erschien jeden Tag auf dem Balkon

tharina hatte nichts dagegen, und bald darauf erschien er in ihrem Haus. Er äußerte sich lobend über dies und das und fragte dann ganz direkt: »Seid Ihr verheiratet, Signora?«

»Seid Ihr es denn?« fragte sie.

»Ich bin Witwer und habe einen Sohn.«

»Dann bin auch ich Witwe.«

»Es ist geradezu unheimlich«, sagte der Prinz. »Ihr seht einer Dame so ähnlich, die ich aus Palermo kannte, und einer anderen aus Neapel.«

»Man sagt, daß jeder Mensch sieben Ebenbilder auf der Welt hat«, sagte sie.

Nach einer Woche waren sie verheiratet. Neun Monate später gebar Katharina wieder einen Sohn, der sogar noch schöner war als der erste. Der Prinz war überglücklich.

»Wie soll er heißen?« fragte er seine Frau.

»Genua«, sagte Katharina.

Also tauften sie ihn Genua.

Zwei Jahre vergingen, und der Prinz wurde wieder von Unruhe ergriffen.

»Verläßt du mich und meinen Sohn?« fragte Katharina.

»Nun, ich werde ein Dokument unterzeichnen, damit die Leute wissen, daß der Junge mein Sohn und Erbe ist.«

Während er noch Vorbereitungen zu seiner Reise nach Venedig traf, mietete Katharina ein Schiff und segelte ihm mit Bediensteten, Anstandsdame, Putz und Kleidern voraus.

»Mama mia!« rief der Prinz aus, als er in Venedig ankam und sie auf dem Balkon gegenüber stehen sah. »Sie ist das Ebenbild meiner Frau in Genua, die das Ebenbild meiner Frau in Neapel ist, die meiner Katharina der Klugen so ähnlich sieht! Wie ist das nur möglich? Katharina sitzt in Palermo im Kerker. Die Neapolitanerin ist in Neapel, die Genueserin in Genua, und diese Venetianerin ist hier in Venedig!«

Verwirrt schickte er einen Boten zu ihr und machte seine Aufwartung.

»Ich muß Euch sagen, Signora, daß Ihr mehreren Frauen ähnelt, die ich kenne.«

»Tatsächlich«, sagte Katharina. »Die Leute sagen, daß wir sieben Ebenbilder auf der Welt haben.«

Das Gespräch verlief wie üblich.

»Seid Ihr verheiratet?« – »Seid Ihr es denn?«

»Nein, ich bin ein Witwer mit zwei Söhnen.«

»Dann bin ich eine Witwe.«

Nach Ablauf einer Woche waren sie verheiratet. Diesmal gebar Katharina eine Tochter, so strahlend schön wie Sonne und Mond zusammen.

»Wie soll sie heißen?« fragte der Prinz.

»Venedig«, sagte Katharina.

Also hieß sie Venedig.

Wieder vergingen zwei Jahre. Eines Tages verkündete der Prinz, er fahre nach Palermo, allein. Aber bevor er ging, unterzeichnete er – Ehrenmann, der er war – ein Dokument, in dem stand, daß Venedig wirklich seine leibliche Tochter sei, eine königliche Prinzessin.

Er segelte davon, aber Katharina kam vor ihm in Palermo an. Sie ging sofort zu ihres Vaters Haus, durch den Tunnel und zurück in den Kerker. Der Prinz war kaum im Palast angekommen, als er auch schon auf sein Zimmer lief, die Falltür anhob und hinunterrief: »Wie geht's, Katharina?«

»Einfach blendend«, antwortete sie kalt.

»Tut dir die Ohrfeige jetzt leid?«

»Denkst du noch an die Ohrfeige, die du noch gut hast?« fragte Katharina zurück.

»Wenn du dich nicht entschuldigst, heirate ich eine andere.«

»Aber bitte! Ich halte dich nicht zurück.«

»Sag, daß es dir leid tut, und ich nehme dich in Gnaden wieder auf«, sagte er zum letzten Mal.

»Nein.«

Also ließ der Prinz verbreiten, daß er auf Brautschau sei. Er schrieb an alle Könige und Königinnen und bat um Porträts ihrer Töchter, damit er sich die schönste aussuchen konnte. Die Porträts kamen, und am besten gefiel ihm eine Prinzessin von England. In kürzester Zeit war die ganze königliche Familie von England in Palermo versammelt, und die Hochzeit wurde für den folgenden Tag festgesetzt.

Und was glaubt ihr, was Katharina die Kluge tat?

Sie ließ ihren drei Kindern – Neapel, Genua und Venedig – drei herrliche Gewänder machen und kleidete sich selbst als die Prinzessin, die sie von Rechts wegen war. Und dann ging sie mit ihren Kindern zum Palast. Als sich der Hochzeitszug näherte, sagte sie laut zu ihren Kindern: »Prinz Neapel, Prinzessin Venedig, Prinz Genua – geht und küßt eurem Vater die Hand.«

Und die Kinder liefen zu ihm hin und wollten ihm die Hand küssen.

Als er seine Kinder sah, fiel er auf die Knie und weinte.

Die englische Prinzessin drehte sich um und stöckelte wütend davon, schnurstracks zurück nach England.

Inzwischen erklärte Katharina das Geheimnis der Damen, die sich so ähnlich sahen. Und der Prinz verließ nie wieder sein Heim und bereute sein Leben lang, was er getan hatte.

Zusammen eröffneten sie Katharinas Schule wieder, und wieder kamen Kinder aus ganz Italien, um von Katharina der Klugen zu lernen. (Nur der Prinz lernte das Kopfrechnen nie.)

Oona und der Riese Cuchulain

Eine riesige Geschichte aus Irland

Von allen Riesen, die je Irlands Täler unsicher machten, war der Riese Cuchulain der stärkste. Mit einem Faustschlag konnte er einen Berg zu einem Kuhfladen zusammendrücken, und er spazierte mit solch einem Kuhfladen in der Tasche umher, um andere Riesen damit zu erschrecken.

Und wie sie erschraken! Sie versuchten ihm aus dem Weg zu gehen, aber er stellte ihnen nach und prügelte einen nach dem anderen windelweich. Dann hinkten sie in die Berge und leckten ihre Wunden.

Einen Riesen allerdings hatte Cuchulain bisher nicht erwischt, und das war Finn MacCool. Das hatte einen ganz einfachen Grund: Finn MacCool hatte solche Angst vor Cuchulain, daß er sich hütete, ihm zu begegnen. Er baute sich sogar ein Haus auf einem windigen Berg, damit er nach allen Seiten freie Sicht hatte, und sobald der Riese irgendwo in der Ferne auftauchte, verschwand Finn wie der Blitz und versteckte sich im Gebüsch, im Sumpf, hinter einem Hügel oder sonstwo.

Aber Finn konnte sich seinen Widersacher nicht auf ewig vom Halse halten. Und Cuchulain hatte geschworen, daß er nicht ruhen würde, bis er den feigen Finn platt geschlagen hätte wie eine Flunder. Finn wußte, daß der Tag kommen würde. Wißt ihr auch, wie? Indem er am Daumen lutschte; dann wurde ihm immer alles klar.

Da saß er also, dieser Finn, vor seinem Haus auf dem windigen Berg und lutschte an seinem Riesendaumen. Und, ach du Schreck! – schon rannte er zitternd wie Espenlaub ins Haus und rief seiner Frau Oona zu: »Cuchulain kommt hierher! Und diesmal gibt es kein Entkommen, das sagt mir mein Daumen!«

»Wie lange braucht er noch bis hierher?« fragte Oona.

Finn lutschte wieder am Daumen. »Um drei ist er hier. Und weißt du, was er will? Er will mich platt quetschen und zu seinem Kuhfladen in die Hosentasche stecken.«

»Na, na, Finn«, sagte Oona. »Überlaß das nur mir. Hab' ich dich nicht schon öfters aus dem Dreck gezogen?«

»Doch, das hast du«, sagte Finn und hörte auf zu zittern.

Inzwischen ging Oona zu drei Freundinnen, die am Fuß des Berges wohnten, und borgte von jeder einen Eisenrost. Wieder zu Hause buk sie ein halbes Dutzend Kuchen, jeder so groß wie ein Wäschekorb, und in drei davon steckte sie je einen Eisenrost. Dann stellte sie die Kuchen auf zwei Regale, drei oben, drei unten, so daß sie wußte, wo welcher Kuchen stand.

Um zwei Uhr sah sie aus dem Fenster und entdeckte einen Punkt am Horizont; das mußte Cuchulain sein. Nun steckte sie Finn in ein Nachthemd, setzte ihm ein spitzenbesetztes Nachthäubchen auf und hieß ihn, sich in die große Wiege legen.

»Also, Finn«, sagte sie. »Du bist jetzt dein eigenes Baby. Lieg schön still und überlaß alles mir. Lutsch am Daumen, damit du immer weißt, was ich vorhabe.«

Finn tat wie ihm geheißen.

»Ach ja«, fiel es Oona dann noch ein. »Wo steckt denn bei diesem ekelhaften Kerl eigentlich die ganze Stärke?«

Finn lutschte am Daumen und sagte: »Seine Stärke steckt im Mittelfinger der rechten Hand. Ohne diesen Finger wäre er so schwach wie ein Baby.«

Sie warteten, und es dauerte auch nicht lange, bis eine Riesenfaust an die Tür schlug.

Finn kniff die Augen zu, so fest er konnte, zog sich die Decke bis zur Nase und versuchte, sein Zähneklappern zu unterdrücken. Oona riß schwungvoll die Tür auf – und da stand der mächtige Cuchulain.

»Wohnt hier Finn MacCool?« fragte er.

»Ja doch, der wohnt hier«, erwiderte Oona. »Kommt herein und setzt Euch.«

Cuchulain setzte sich und starrte in alle Ecken.

»Was für ein hübsches Baby, Mrs. MacCool«, sagte er. »Ist Ihr Mann wohl zu Hause?«

»Zu schade, leider nein«, sagte sie. »Er ist vor ein paar Stunden weggegangen, weil er einen Berg abreißen wollte. Soviel ich weiß, wollte er irgend so einen Hampelmann namens Cuchulain fangen. Der Himmel helfe dem armen Mann, wenn mein Finn ihn in die Finger kriegt; da bleibt wohl kein Haar und kein Zehennagel mehr von ihm übrig.«

»Cuchulain bin ich, Mrs. MacCool«, sagte der Besucher. »Und ich bin seit mindestens einem Jahr hinter Ihrem Mann her. Aber er versteckt sich immer vor mir; so groß und stark kann er eigentlich nicht sein.«

»Ihr seid Cuchulain!« sagte Oona in verächtlichem Ton. »Habt Ihr meinen Finn je gesehen?«

»N..nein. Konnte ich ja nicht. Ich verpasse ihn ja immer.«

»Ihr verpaßt ihn, meiner Seel!« rief Oona aus. »Da habt Ihr die Prügel Eures Lebens verpaßt. Ich will Euch nichts Böses, Herr, aber wenn Ihr einen Rat von mir wollt: Bleibt ihm aus den Augen. Er ist so hart wie Stein und so schnell wie der Wind. Ach, da fällt mir ein: Würdet Ihr wohl so nett sein und das Haus herumdrehen? Der Wind hat sich gedreht.«

»Das Haus herumdrehen?« stammelte Cuchulain. »Habe ich recht gehört?«

»Ja doch«, sagte Oona. »Das macht Finn immer, wenn der Wind von Osten kommt.«

Cuchulain stand auf und ging hinaus. Er krümmte dreimal den Mittelfinger der rechten Hand, packte das Haus und drehte es mit der Rückseite nach vorn.

Als Finn merkte, wie das Haus sich drehte, zog er sich die Decke über den Kopf, und seine Zähne klapperten noch viel mehr. Oona aber nickte nur dankend, als sei weiter nichts dabei, und bat ihn um einen weiteren Gefallen.

»In letzter Zeit war es so trocken, daß mir glatt das Wasser ausgegangen ist. Könntet Ihr mir wohl diesen Krug voll Wasser holen?«

»Wo soll ich es denn holen?«

»Seht Ihr den Felsblock dort drüben auf dem Hügel? Wenn wir Wasser brauchen, hebt Finn ihn immer hoch und holt das Wasser aus der Quelle darunter. Sobald Ihr mit dem Wasser zurück seid, setze ich den Kessel auf und mache Euch eine schöne Tasse Tee. Ihr werdet eine Stärkung brauchen können, wenn Ihr den Fäusten meines Finn entgehen wollt.«

Cuchulain runzelte die Stirn, nahm den Krug und ging den Berg hinunter und den Hügel auf der anderen Seite hinauf. Vor dem Felsblock blieb er stehen und kratzte sich verdutzt den Kopf: Er war mindestens so hoch wie er selbst und doppelt so breit. Er hob die rechte Hand hoch, krümmte neunmal den Mittelfinger, nahm den Felsen in seine kräftigen Arme und stemmte sich dagegen. Mit einer gewaltigen Anstrengung zog er ihn samt den mindestens hundert Metern Gestein, die noch im Boden steckten, heraus. Da schoß ein Wasserstrahl hervor und brauste mit solchem Getöse zu Tal, daß Finn sich die Ohren zuhielt.

»Liebes Weib«, jammerte er. »Wenn dieser Riese mich in die Finger bekommt, bricht er mir jeden Knochen im Leib.«

»Pst«, machte Oona. »Erst einmal muß er dich finden.«

Und sie dankte dem Wasserträger mit einem Lächeln, als er mit dem Krug durch die Tür trat.

Cuchulain nahm den Krug und ging den Berg hinunter

»Vielen Dank«, sagte sie. »Nun setzt Euch, während ich den Kessel aufsetze.«

Als der Tee fertig war, stellte Oona drei Kuchen vor Cuchulain hin – die drei mit dem Eisenrost.

Die viele Arbeit hatte Cuchulain hungrig gemacht. Er schmatzte genüßlich, nahm einen Kuchen und biß kräftig hinein. Ja Pustekuchen! Mit einem Schrei spuckte er den Bissen wieder aus, und zwei Vorderzähne gleich mit.

»Was ist denn das für ein Kuchen? Der ist ja so hart wie Eisen!«

»Das ist Finns Lieblingskuchen«, erklärte Oona. »Er ist ganz versessen darauf, und das Baby in der Wiege auch. Vielleicht ist er ein bißchen zu knusprig gebacken für einen Schwächling wie Euch. Hier, probiert diesen. Der ist ein bißchen weicher.«

Der Kuchen roch wirklich köstlich. Diesmal nahm er einen noch größeren Bissen in Angriff, aber verflixt! Wieder spuckte er ihn aus, zusammen mit zwei weiteren Riesenzähnen.

»Behaltet Eure Kuchen«, brüllte er. »Sonst bleiben mir überhaupt keine Zähne mehr.«

»Heiliger Strohsack!« rief Oona aus. »Das ist doch kein Grund, so zu schreien und das Baby aufzuwecken. Schließlich ist es nicht meine Schuld, wenn Ihr so schwache Kiefer habt.«

In diesem Augenblick steckte Finn den Daumen in den Mund und wußte sofort, was Oona von ihm wollte. Er riß den Mund auf und stieß den lautesten, ohrenbetäubendsten Schrei aus, den er je von sich gegeben hatte.

»Huuuuhhhh…«

»Herr im Himmel«, stotterte Cuchulain, und die Haare standen ihm zu Berge. »Das Baby hat vielleicht eine Lunge! Hat es die von seinem Vater?«

»Wenn sein Vater einen Schrei losläßt, kann man es von hier bis Timbuktu hören.«

Cuchulain begann sich unbehaglich zu fühlen. Vielleicht war es doch keine so gute Idee gewesen, Finn MacCool aufzusuchen. Nervös sah er zu der Wiege hin und bemerkte, daß das Kind wieder am Daumen lutschte.

»Gleich will er seinen Kuchen haben«, sagte Oona. »Um diese Zeit wird er immer gefüttert.«

Genau in diesem Augenblick heulte Finn los: »Kuuuuuchen!«

»Da, steck das in den Mund«, sagte Oona und gab ihm einen Kuchen vom oberen Regal.

»Das ist doch nichts für ein Baby!« sagte Cuchulain.

Aber im Nu hatte Finn ihn bis auf das letzte Krümchen vertilgt und brüllte wieder: »Kuuuuuchen!«

Als das Baby den dritten Kuchen so gut wie aufgegessen hatte, stand Cuchulain auf.

»Ich gehe lieber, Mrs. MacCool«, sagte er. »Wenn dieses Baby auch nur ein bißchen von seinem Vater hat, ist Finn mir wohl über. Ein wirklich hübsches Baby, Madam!«

»Wenn Ihr Euch etwas aus Babys macht, dann kommt ruhig her und schaut es Euch näher an.«

Und sie nahm Cuchulain am Arm und führte ihn näher zu der Wiege hin. Sie zog Finn die Decke weg, und dieser strampelte mit den Beinen in der Luft herum und brüllte, was das Zeug hielt.

»Herrje, hat der ein paar Beinchen!« staunte Cuchulain.

»Ihr hättet seinen Vater in diesem Alter sehen sollen«, sagte Oona. »Mit einem Jahr machte er schon Ringkämpfe mit den Stieren auf der Weide.«

»Tatsächlich?« seufzte Cuchulain und dachte nur noch daran, wie er möglichst schnell und unbehelligt aus dem Haus kommen könnte.

»Die Zähne kommen auch schon heraus«, fuhr sie fort. »Fühlt selbst.«

Cuchulain wollte möglichst höflich sein, bevor er sich aus dem Staub machte, und steckte dem Baby gehorsam die Finger in den Mund.

Ihr könnt euch sicher denken, was geschah!

Als er seine Finger wieder herauszog, hatte er nur noch vier: Der Mittelfinger war abgebissen.

Den Schrei hättet ihr von dort bis nach Venezuela hören können! Nachdem er so seine Stärke verloren hatte, begann der einst so mächtige Cuchulain zu schrumpfen, bis er nicht größer war als der Kuchen, in den er gebissen hatte. Hoch über ihm wollten Oona und Finn sich ausschütten vor Lachen über den kleinen Mann. Der Winzling stolperte aus dem Haus und rannte den Berg hinunter um sein Leben. Und er ward in ganz Irland nie mehr gesehen.

Finn aber war seiner Frau mit dem klugen Köpfchen ewig dankbar.

Aina-kiss und der Bey mit dem schwarzen Bart

Wie ein kleines Mädchen einen reichen Mann überlistet –
eine Geschichte aus Zentralasien

Es war einmal ein junges Mädchen, das lebte mit seinem Vater, einem Holzfäller, in einer baufälligen Hütte. Sie besaßen nur ein einziges Werkzeug, eine schartige Axt, und außerdem ein altes, lahmes Pferd und ein Maultier.

Aber wie das Sprichwort so richtig sagt: Eines reichen Mannes Reichtum sind seine Herden, eines armen Mannes Reichtum sind seine Kinder.

So war es auch hier. Immer wenn der alte Holzfäller seine Tochter ansah, die erst neun Jahre alt war, vergaß er allen Kummer und alle Sorgen. Das Mädchen hieß Aina-kiss und war so klug, daß die Leute meilenweit herkamen, um sie um Rat zu fragen.

Eines Tages belud der Holzfäller sein Pferd mit einer Ladung Holz und sagte zu dem Mädchen: »Ich gehe auf den Markt; gegen Abend bin ich wieder zurück, und wenn ich das Holz gut verkaufen kann, bringe ich dir etwas mit.«

»Viel Glück«, sagte das Mädchen. »Aber sei vorsichtig. Denn für jeden, der auf dem Markt Gewinn macht, gibt es einen, der Verlust gemacht hat.«

Der Holzfäller machte sich auf den Weg und kam zeitig auf dem Basar an. Er stellte sich neben sein Pferd und wartete auf Käufer für sein Holz. Aber es kam niemand. Es war schon spät, als ein reicher Bey in einer Seidenrobe über den Markt geschlendert kam. Er strich sich selbstgefällig den schwarzen Bart, und als er den armen Mann mit seiner Ladung Holz stehen sah, rief er: »Heh, alter Knabe, was willst du für das Holz haben?«

»Nur einen Tanga, Herr.«

»Verkaufst du das Holz genauso, wie es ist?« fragte der Bey mit schlauem Lächeln.

Der Holzfäller nickte langsam; er wußte nicht genau, auf was der Bey hinauswollte.

»Hier ist die Münze«, sagte der Bey. »Bring mir das Holz nach Hause.«

Als sie zu dem prächtigen Haus des Bey kamen, wollte der arme Mann das Holz abladen, aber der Bey brüllte ihm ins Ohr: »Halt! Ich habe das Holz gekauft ›genauso, wie es ist‹ – und das heißt, daß das Pferd jetzt mir gehört, weil es nämlich das Holz trägt. Wenn es dir nicht paßt, können wir ja vor Gericht gehen.«

Wie schon das Sprichwort sagt: Ein schlechter Herr kann aus einem edlen Roß einen nutzlosen Klepper machen, und ebenso kann ein schlechter Richter Recht in Unrecht verkehren. Genauso geschah es.

Der Richter hörte sich die zwei Beschwerden an, strich sich den Bart, betrachtete die Seidenrobe des Bey und fällte sein Urteil: Dem Holzfäller war ganz recht geschehen; er hätte auf die Bedingungen ja nicht einzugehen brauchen!

Der reiche Mann lachte dem Holzfäller ins Gesicht, und der arme Mann schleppte sich mühselig nach Hause und erzählte Aina-kiss seine Geschichte.

»Mach dir nichts daraus, Vater«, tröstete das Mädchen. »Morgen gehe ich auf den Markt. Vielleicht habe ich mehr Glück als du.«

Im Morgengrauen belud sie das Maultier mit Holz und trieb es vor sich her zum Markt. Hier stand sie neben dem Tier, bis genau dieser Bey wieder vorbeikam.

»Heh, Kleine, was willst du für das Holz haben?« fragte er.

»Zwei Tanga.«

»Und du verkaufst es genauso, wie es ist?«

»Sicher«, erwiderte sie. »Wenn Ihr mir auch das Geld gebt genauso, wie es ist.«

»Aber sicher, sicher«, sagte der Bey und hielt ihr die zwei Goldstücke hin. »Komm mit.«

Es lief alles genauso ab wie bei ihrem Vater, aber sie störte sich nicht daran. Als der Bey ihr lächelnd die zwei Münzen aushändigen wollte, blieb sie furchtlos stehen.

»Herr«, sagte sie. »Ihr habt das Holz gekauft, wie es ist, und Ihr habt mein Maultier zusammen mit dem Holz. Aber Ihr habt Euer Wort gegeben, mir das Geld zu geben, wie es ist. Und nun will ich Euren Arm dazu.«

Der Bey fuhr zurück. Sein Bart zitterte vor Wut, und er fluchte fürchterlich, aber das Mädchen gab nicht nach. Schließlich gingen sie zusammen vor den Richter. Der ehrenwerte Mann hörte sich die Beschwerde an, aber diesmal konnte er dem Bey nicht helfen: Er mußte zwei Tanga für das Holz und weitere fünfzig für seinen Arm zahlen.

Den beiden Zuhörern verging ganz schnell das Lachen

45

Wie bedauerte es da der reiche Mann, daß er das Holz, das Pferd und das Maultier gekauft hatte! Unter den Augen des Richters übergab er Aina-kiss das Geld und sprach: »Diesmal hast du mich hereingelegt, aber ein Spatz kann sich nicht mit dem Falken messen. Ich wette, du kannst keine größere Lüge erzählen als ich. Ich setze fünfhundert Tanga ein und du die fünfzig, die du von mir bekommen hast. Wessen Lüge der Richter für die größere hält, der hat gewonnen. Was hältst du davon?«

»Abgemacht«, antwortete Aina-kiss.

Der Bey blinzelte dem Richter zu und begann: »Eines Tages, noch ehe ich geboren war, fand ich drei Ähren Korn in meiner Tasche und warf sie aus dem Fenster. Am nächsten Morgen war in meinem Hof ein Kornfeld gewachsen, so groß und dicht, daß ein Reiter zehn Tage brauchte, bis er hindurchfand. Und mit der Zeit verirrten sich vierzig meiner besten Ziegen darin. So gründlich ich auch suchte, ich konnte keine Spur mehr von ihnen finden.

Im Spätsommer, als das Korn reif war, wurde es geerntet und zu Mehl gemahlen. Daraus wurden Brötchen gebacken, und eines davon aß ich selbst zum Frühstück; es war noch ganz frisch und heiß. Und stell dir vor – aus meinem Mund sprang eine Ziege, und noch eine, und noch eine… Alle vierzig kamen nacheinander heraus und meckerten laut. Und fett waren sie geworden – jede war größer als ein ausgewachsener Stier!«

Als der Bey schwieg, saß der Richter mit offenem Mund da. Aber Aina-kiss war ungerührt.

»Herr«, sagte sie. »Kluge Männer wie Ihr können wahrhaftig großartig Lügen. Hört nun bitte meine bescheidene Geschichte.« Und sie fing an zu erzählen:

»Einmal pflanzte ich einen Baumwollsamen in meinem Garten. Und stellt Euch vor, am nächsten Morgen war ein Busch daraus geworden, der bis zu den Wolken reichte. Er warf einen Schatten so lang, daß man drei Tage brauchte, um ihn zu durchqueren. Als die Baumwolle reif war, pflückte ich sie, säuberte sie und verkaufte sie auf dem Markt. Mit dem Geld kaufte ich vierzig schöne Kamele, belud sie mit Seide und bat meinen Bruder, die Karawane nach Samarkand zu führen.

Als er ging, trug er sein schönstes Seidengewand, aber dann hörte ich drei Jahre lang nichts mehr von ihm. Erst gestern erhielt ich Nachricht, daß er überfallen und von einem Bey mit einem schwarzen Bart erschlagen worden sei. Ich hatte keine Hoffnung den Übeltäter je zu finden, aber jetzt habe ich ihn zufällig entdeckt.

Ihr seid es, Bey, denn Ihr tragt meines Bruders schönstes Seidengewand!«

Bei diesen Worten verging den beiden Zuhörern ganz schnell das Lachen.

Was sollte der Richter machen? Wenn er die Geschichte zu einer haarsträubenden Lüge erklärte, verlor der Bey fünfhundert Goldstücke. So lautete die Wette. Nahm er sie aber für wahr ... dann war es noch schlimmer. Das Mädchen würde Entschädigung verlangen für den Bruder und außerdem für die vierzig schönsten Kamele und ihre Seidenladung.

Der Bey brüllte wie ein verwundeter Stier: »Du lügst, du lügst! Das ist die dickste Lüge, die ich je gehört habe! Nimm die fünfhundert Goldstücke, nimm mein seidenes Gewand, aber geh und laß mich in Frieden.«

Lächelnd zählte Aina-kiss die Goldmünzen, wickelte sie in das seidene Gewand und ging zu Fuß nach Hause zurück.

Der Holzfäller hatte schon Angst um seine Tochter gehabt und erwartete sie unter der Tür zu ihrer Hütte. Glücklich schloß er sie in die Arme und erwähnte nicht einmal, daß sie ohne das Maultier zurückkam.

»Vater, ich habe das Maultier mit dem ganzen Holz verkauft, wie es war.«

»Ach, mein armes Kind«, murmelte er. »Hat dieser hartherzige Bey also auch dich überlistet.«

»Aber ich habe einen guten Preis für das Holz erzielt«, sagte sie ruhig und übergab ihm die Seidenrobe.

»Das ist ein sehr schönes Gewand«, sagte er traurig. »Aber was habe ich davon? Ohne Pferd und Maultier werden wir wahrscheinlich Hungers sterben.«

Daraufhin wickelte Aina-kiss das Gewand vor den staunenden Augen ihres Vaters auseinander, und die Goldmünzen prasselten zu Boden. Dann erzählte sie ihm von ihren Abenteuern in der Stadt.

Wie lachte und weinte der Vater da abwechselnd! Und so endete sie ihre Geschichte: »Vater, die Reichen halten ihr Vermögen zusammen und die Armen ihren Verstand. Ein Mädchen mit einem hellen Kopf ist mehr wert als ein Mann mit einer vollen Börse.«

Ein Pfund Hirn

Eine Geschichte aus Lincolnshire in England

Vor gar nicht so langer Zeit lebte hier herum einmal eine weise alte Frau. Manche hielten sie für eine Hexe, aber das sagten sie nur ganz leise, aus Angst, sie könnte es hören und ihnen etwas antun.

Kranken konnte sie Tränklein mischen, die in Sekundenschnelle jeden Schmerz vertrieben. Sie wußte Rat, wenn einem Bauern die Kühe krank wurden oder wenn er Zahnweh hatte. Und sie konnte den jungen Burschen und Mädchen sagen, ob ihnen ihre Herzallerliebsten auch treu waren.

Eines Tages saß sie vor ihrer Tür und schälte Kartoffeln. Da kam ein langer Schlacks von einem Jungen mit großen Ohren und weit aufgerissenen Augen den Weg herauf, die Hände in den Taschen.

»Da kommt ein Dummkopf, das sieht man schon von weitem«, sagte die weise alte Frau zu sich und nickte mit dem Kopf. Und sie warf ein paar Kartoffelschalen über ihre linke Schulter; das sollte ihr Glück bringen.

»N'Abend, Frau«, sagte er. »Schöner Abend heute.«

»Ja.« sagte sie und schälte weiter ihre Kartoffeln.

»Könnte aber auch noch Regen geben«, sagte er und trat von einem Fuß auf den anderen.

»Könnte sein«, sagte sie.

Der Schlacks nahm die Mütze ab und kratzte sich den Kopf.

»Ähh«, sagte er. »Das Wetter hätten wir. Also weiter … sieht nach einer guten Ernte aus.«

»Stimmt«, sagte sie.

»Und die Säue werden auch immer fetter.«

»Wirklich wahr«, sagte sie.

»Und, und…« sagte er, und dann wußte er nicht mehr weiter. »Am besten, ich komme jetzt zur Sache: Habt Ihr Hirn zu verkaufen?«

»Kommt darauf an«, sagte sie. »Wenn du Hirn vom König oder Hirn vom Pfarrer oder Hirn vom Richter willst – das hab' ich nicht da.«

»Oh nein«, sagte er. »Nur ein Pfund einfaches Hirn, so was, was jeder hat. Ganz normales Hirn.«

»Na denn«, sagte die Frau. »Damit kann ich vielleicht dienen, wenn du das Deinige dazu tust.«

»Wie meint Ihr das, Frau?« fragte er.

»Wie ich es sage«, sagte sie und schaute auf ihre Kartoffeln.

»Bring mir das Herz von dem, was dir am liebsten ist; ich sage dir dann, wo du dein Hirn bekommen kannst.«

Er kratzte sich wieder am Kopf. »Wie soll ich das anstellen?« fragte er.

»Das kann ich dir nicht sagen«, sagte sie. »Das mußt du selbst herausfinden, mein Junge, wenn du nicht dein Leben lang ein Dummkopf bleiben willst. Und ein Rätsel mußt du auch noch lösen, damit ich sehe, daß du sie alle beieinander hast. Schönen Abend noch«, und damit nahm sie ihren Korb Kartoffeln und ging hinein.

Also ging der Dummkopf heim und erzählte seiner Mutter, was die weise Frau gesagt hatte.

»Ich glaube, ich muß unser Schwein schlachten«, sagte er. »Denn am liebsten mag ich Schweinebraten.«

»Dann schlachte es«, sagte die Mutter. »Es wäre wirklich nicht schlecht, wenn du dann allein im Leben zurechtkommen könntest.«

Also schlachtete er das Schwein und ging am nächsten Abend wieder zu der weisen Frau. Die saß vor der Tür und las in einem Buch.

»N'Abend, Frau«, sagte er. »Hier habe ich das Herz von dem, was mir am liebsten ist. Es ist eingepackt; ich lege es hier auf den Tisch.«

»Na gut«, sagte sie und besah ihn sich über den Brillenrand. »Hier ist dein Rätsel: Was läuft ohne Füße?«

Er nahm die Mütze ab und kratzte sich am Kopf. Er überlegte und überlegte, aber er kam nicht darauf.

»Geh wieder heim«, sagte sie. »Du hast nicht das Richtige gebracht. Heute ist kein Hirn für dich da.«

Also ging er den Weg wieder zurück, setzte sich irgendwo ins Gras und weinte. Und wie er weinte! Nach einiger Zeit kam ein Mädchen des Weges, das in der Nähe wohnte.

»Was ist mit dir? Kann ich dir helfen?«

»Ohhhh, ich hab' mein Schwein geschlachtet, aber das Pfund Hirn bekomme ich trotzdem nicht«, heulte er.

»Was soll denn das heißen?«

Und sie setzte sich neben ihn und hörte zu, was er von der weisen alten Frau erzählte. Und daß er niemanden hätte, der für ihn sorgte.

»Na«, sagte sie. »Mir würde es nichts ausmachen, mit dir zu leben.«

»Wirklich?« fragte er überrascht.

»Oh, ich glaube schon«, sagte sie. »Man sagt, aus Dummköpfen würden die besten Ehemänner. Kannst du kochen?«

»Ja, kann ich«, sagte er.

»Und saubermachen?«

»Sicher.«

»Und flicken?«

»Kann ich auch«, sagte er.

»Dann glaube ich, ich kann ebenso gut dich nehmen wie jemand anderen«, sagte sie.

»Dann ist das abgemacht«, sagte er. »Ich hole dich ab, wenn ich meiner Mama Bescheid gesagt habe.«

Er gab ihr seinen Glückspfennig und ging nach Hause.

Als er seiner Mutter erzählte, daß er heiraten wolle, wurde die arme Frau sehr böse.

»Was?« sagte sie. »Dieses Mädchen? Kommt nicht in Frage. Sie arbeitet auf dem Feld wie ein Mann und hat keine Ahnung, wie man ein Haus in Ordnung hält. Und die Leute reden über sie.«

»Aber ich habe ihr meinen Glückspfennig gegeben«, sagte er.

»Dann warst du noch dümmer als sonst«, sagte seine Mutter.

Es waren ihre letzten Worte, denn die arme Frau hatte sich so aufgeregt, daß sie sich hinlegte und starb.

Da setzte sich der Dummkopf hin, und je mehr er überlegte, desto schlimmer fühlte er sich. Er dachte daran, wie sie ihn gepflegt hatte. Wie sie für ihn gekocht und ihn trotz seiner Dummheiten gern gehabt hatte. Und er wurde trauriger und trauriger und begann endlich zu schluchzen.

»Oh, Mama, Mama«, schluchzte er. »Dich habe ich am liebsten gehabt.« Da fiel ihm ein, was die weise Frau gesagt hatte.

»Hoppla«, dachte er. »Muß ich ihr das Herz meiner Mutter bringen?«

Er überlegte und überlegte und kratzte sich den Kopf. Da hatte er eine Idee. Er nahm einen Sack und steckte seine Mutter hinein. Dann nahm er ihn auf die Schulter und trug ihn zu der alten Frau.

»N'Abend, Frau«, sagte er. »Ich glaube, jetzt habe ich das Richtige gebracht.« Und er ließ den Sack auf den Tisch plumpsen.

»Schon möglich«, sagte sie. »Aber was ist das: Es ist gelb und glänzt, aber es ist kein Gold?«

Er kratzte sich den Kopf, aber er kam nicht darauf.

»Du hast das Richtige immer noch nicht gefunden, mein Junge«, sagte sie. »Du bist ein noch größerer Dummkopf, als ich dachte.« Und sie schlug ihm die Tür vor der Nase zu.

»Ich glaube, jetzt habe ich das Richtige gebracht«

Ganz traurig ging er zu dem Mädchen, das er getroffen hatte, und verheiratete sich mit ihm. Er hielt das Haus sauber und ordentlich und kochte, und sie arbeitete den ganzen Tag auf dem Feld. Es gefiel ihnen beiden so.

Eines Nachts sagte er zu ihr. »Ich glaube, ich mag dich am liebsten auf der Welt.«

»Das freut mich«, sagte sie. »Und?«

»Ich frage mich, ob ich dich töten und der alten Frau dein Herz bringen soll, wegen dem Pfund Hirn.«

»Herrje, nein!« sagte das Mädchen schnell und bekam es ein bißchen mit der Angst zu tun. »Am besten nimmst du mich mit zu ihr, wie ich bin, mit Herz und allem, und ich helfe dir, diese Rätsel zu lösen.«

»Meinst du?« fragte er zweifelnd. »Sie sind sicher zu schwer für dich.«

»Sag mir eines«, forderte sie ihn heraus.

»Was läuft ohne Füße?« sagte er.

»Na, Wasser natürlich!« sagte sie.

»Stimmt«, sagte er und kratzte sich den Kopf.

»Und was ist gelb und glänzt, ist aber kein Gold?«

»Na, die Sonne natürlich.«

»Tatsächlich«, staunte er. »Komm, wir gehen sofort los.«

Und sie machten sich auf den Weg. Als sie den Weg heraufkamen, saß sie vor der Tür und flocht Stroh.

»N'Abend, Frau«, sagte er.

»N'Abend, Dummkopf«, sagte sie.

»Ich glaube, jetzt habe ich endlich das Richtige gebracht.«

Die weise Frau besah sich die beiden und putzte ihre Brille. »Dann beantworte mir die Rätsel«, sagte sie dann. »Was hat zuerst keine Beine, dann zwei Beine und dann vier?«

Der Dummkopf kratzte sich den Kopf und überlegte und überlegte, kam aber nicht auf die Lösung.

Da flüsterte ihm das Mädchen ins Ohr: »Eine Kaulquappe.«

»Wird wohl eine Kaulquappe sein, Frau«, sagte er schließlich.

Die alte Frau nickte. »Und was ist mit den anderen Rätseln?«

Er sagte, was seine Frau ihm vorgesagt hatte: »Wasser und die Sonne.«

Die weise Frau lächelte. »Da hast du ja dein Pfund Hirn«, sagte sie.

»Wo?« fragte er, schaute sich um und befühlte seinen Kopf.

»Deine Frau hat es im Kopf«, sagte sie. »Das einzige Heilmittel für einen Dummkopf ist eine gute Frau. Schönen Abend euch beiden!«

Der Dummkopf und seine Frau gingen ganz zufrieden zusammen nach Hause. Und er wünschte sich nie wieder Hirn, denn seine Frau hatte genug für zwei.

Das Mädchen,
das nicht jeden wollte

Eine Erzählung aus Ghana in Westafrika

Das Mädchen aus Kyerefaso, die Tochter der Königinmutter, war so flink wie eine Antilope und so weise wie eine Eule. Foruwa war ihr Name; hoch trug sie den Kopf, ihre Augen waren groß und sanft. Und leicht war ihr Fuß, leicht alle ihre Bewegungen. Sie war eine Augenweide, wenn sie den Pfad zum Wasser entlangeilte, wie ein Reh, das gerade aus dem Dickicht getreten ist. Und niemand, der an ihr vorbeigegangen wäre und sich nicht noch einmal umgedreht hätte, um sie noch einmal sehen zu können.

Die Leute im Dorf sagten, ihre Stimme sei wie das Murmeln des Flusses, wenn er ruhig im Schatten der Bambusblätter dahinfließt. Sie sagten, das Lächeln erblühe auf ihren Lippen und strahle auf wie die Sonne.

Wo Blumen sind, sind Schmetterlinge nicht weit. Foruwa war die Blume des Dorfes, und die Dorfschmetterlinge umschwirrten sie, warteten darauf, daß sie vorbeiging, kreuzten wieder und wieder ihren Pfad. Die Männer sagten: »Sie soll meine Frau werden – nein, meine – nein, meine und meine und meine.«

Aber viele Male ging die Sonne auf und wieder unter, wurde der Mond voll und wieder schmal, viele Tage vergingen, und Foruwa wurde niemandes Frau. Sie lächelte den Schmetterlingen zu und hob grüßend die Hand, wenn sie leichtfüßig ihrer Arbeit nachging. »Morgen, Kweku. Morgen, Kwesi. Morgen, Kwodo«, sagte sie. Und das war alles.

Also sprachen sie, obwohl ihr Anblick ihnen Herzklopfen verursachte: »Stolz! Sie ist zu stolz!«

Wo Männer sich trafen, sprachen sie: »Ein richtig dummes Ding ist sie. Kopf-hoch-stolz ist gar kein Ausdruck für sie, nicht einmal Brust-heraus-ich-bin-das-einzige-Mädchen-im-Dorf-stolz. Was ist das nur für ein Stolz!«

Das Jahr ging zu Ende, die Zeit der Feste kam. Wenn das Korn, die

Aber Foruwa wurde niemandes Frau

Yamswurzeln und die Kakaobohnen gesammelt waren, wurden Erntedankfeste gefeiert. Und es gab Brautschauen.

Die Königinmutter erschien und stand groß und weise vor den Männern, und es entstand ein Schweigen.

»Was habt ihr zu verkünden?« fragte sie.

»Wir kommen mit Staub in den Brauen, weil wir neue Pfade erkundet haben, Mutter. Wir kommen mit müden, dornengespickten Füßen. Wir kommen, uns in der Kühle deines friedlichen Stromes zu baden. Wir kommen, unsere Männlichkeit anzubieten, damit neues Leben entstehe.«

»Es ist gut. Kommt, ihr Mädchen, ihr Frauen, kommt und tanzt mit den Männern, denn sie bieten sich an, neues Leben zu schaffen.«

Aber ein Mädchen gab es, das tanzte nicht.

»Wie, Foruwa, willst du nicht tanzen?« fragte die Königinmutter.

Foruwa öffnete die Lippen und sagte nur: »Ich finde ihn hier nicht.«

»Wen? Wen findest du nicht, meine Tochter?«

»Den, mit dem ich neues Leben schaffen möchte. Er ist nicht hier, Mutter. Diese Männer haben leere Gesichter; es ist nichts darin, gar nichts.«

»Was soll aus dir nur werden, meine Tochter?«

»Sobald ich ihn gefunden habe, Mutter, sobald ich den Mann gefunden habe, komme ich zu dir gelaufen, so schnell mich meine Füße tragen.«

An diesem Abend war im Dorf ein neues Lied zu hören!

> »Vor langer Zeit, da lebte,
> lebte eine Frau.
> Hör zu, Mädchen, hör gut zu.
> Vor langer Zeit, da lebte,
> lebte eine Frau,
> die wollte keinen nehmen,
> sie wollte, wollte, wollte nicht.
> Nicht Kwesi und nicht Kwodo
> und niemand auf der Welt.
>
> Eines Tages lief sie heim
> lief sie heim, lief sie heim:,
> Ich habe ihn gefunden, gefunden, gefunden!
> Hör zu, Mädchen, hör gut zu.
> Er war ein großer Häuptling,
> gar stark und prächtig anzuseh'n.
> Hör zu, Mädchen, hör gut zu.
> Doch dann ward er zur Python,
> zu einer Riesenpython,
> und um das Mädchen war's geschehn.«

Von da an wandten einige Foruwa den Rücken zu, wenn sie vorüberging.

Aber es kam der Tag, da Foruwa zur Mutter gelaufen kam, so schnell sie ihre Füße trugen. Sie stürzte durch das Tor und stand atemlos im Hof, ganz von Freude erfüllt. Und hinter ihr kam ein Fremder, der stellte sich neben sie, und er war groß und stark wie eine Säule.

»Hier ist er, Mutter, hier ist der Mann.«

Die Königinmutter sah den Fremden lange an, wie er da stand, stark wie ein Baum im Wald, und sie sagte: »Auf deinem Gesicht liegt Weisheit, mein Sohn. Sei willkommen. Aber sage mir, wer du bist.«

»Ich grüße dich, Mutter«, sagte der Fremde. »Ich bin ein Arbeiter. Alles, was ich zu bieten habe, sind meine Hände; sie sind mein ganzes Vermögen. Ich war auf Wanderschaft, weil ich wissen wollte, wie andere Völker leben. Ich habe Wissen und Kraft. Zusammen werden Foruwa und ich unser Leben aufbauen. Das ist meine Geschichte.«

Und tatsächlich bekam der Fremde Foruwa zur Frau.

Bald, sehr bald schon, wurden Foruwa und der Fremde von den Leuten von Kyerefaso mit ganz anderen Augen angesehen.

»Seht, wie sie zusammen arbeiten«, sagten sie. »Sie sind eins, in Mühe und Schweiß wie in Gesang und Tanz. Sie freuen sich der Mühe, und ihr Leben ist voll und reich.«

»Seht«, sagten wieder andere. »Seht, was das Land unter ihren Händen hervorbringt.«

»Sie haben die Erde genommen und Ziegel daraus geformt. Seht, was für ein Heim sie sich errichtet haben, eine Zierde des Dorfes.«

»Seht, wie geschickt sie sind – seht die Körbe und Tücher, die Sitzbänke und Matten – alles haben sie zusammen gemacht.«

»Und unsere Kinder sind den ganzen Tag um sie und sehen ihnen zu voll Staunen und Entzücken.«

Und nun genügte es auch ihnen nicht mehr, den ganzen Tag beim Würfelspiel unter den Mangobäumen zu sitzen.

»Seht, was Foruwa und ihr Mann zusammen fertiggebracht haben«, sagten sie. »Soll das etwa den Söhnen und Töchtern des Landes nicht gelingen?«

Sie machten sich an die Arbeit, und bald brachten ihre Felder Ernten wie nie zuvor. Im Dorf wehte ein neuer Geist. Eine nach der anderen verschwanden die ungepflegten Hütten, und neue wurden gebaut nach dem Vorbild von Foruwas und des Fremden Heim. Es schien, als werde Kyerefaso wiedergeboren.

Die Leute selbst wurden lebendiger, und ein ganz neuer Stolz erfüllte sie. Nicht länger raubten sie der Erde, was sie im Augenblick für ihre Bequemlichkeit oder ihren Hunger brauchten. Sie schauten das Land mit neuen Augen an. Sie spürten es in ihrem Blut. Es sollte ein schöner Ort werden, den sie für sich und ihre Kinder bauten. Und sie schufen ihn alle zusammen, Frauen und Männer, alle zusammen.

»Osiii!« sangen die Leute des Dorfes.

Es war wieder die Zeit der Feste.

»Osiii! Wir sind die Schöpfer. Mit unserer Kraft werden wir ein neues Leben schaffen. Mit unserem Kopf werden wir ein neues Leben schaffen.«

Nach den Männern und Frauen kamen die Kinder. Auf dem Kopf trugen sie die Früchte des Landes und das, was sie mit ihrer Hände Arbeit gefertigt hatten. Grüne Pisang und gelbe Bananen lagen in Bündeln auf weißen Holztragen. Auberginen, Tomaten, rote Ölnüsse, warm von der Sonne, häuften sich in schwarzen irdenen Töpfen. Orangen, Yamswurzeln und Mais füllten glänzende Messingschalen und goldene Kalebassen. Mädchen und Jungen trugen voller Stolz farbige Matten und Körbe und Spielzeug, das sie selbst gemacht hatten.

Die Königinmutter stand vor ihrer Hütte und beobachtete den Zug, der sich auf dem Dorfplatz sammelte. Grün war der Platz nun vom kürzlichen Regen. Sie beobachtete die Menschen, die glücklich auf sie zu getanzt kamen.

Sie sah Foruwa. Die Pyramide aus Holzkohle in der Messingschale, mit rotem Hibiskus geschmückt, schwang im Gleichklang mit ihrem Körper hin und her. Glück erfüllte die Königinmutter, als sie ihre Tochter so sah.

Dann sah sie Foruwas Mann. Er trug ein weißes Lamm auf den Armen und sang glücklich mit den anderen Männern und Frauen. Die Königinmutter sah ihn voller Stolz.

Der Zug erreichte die königliche Hütte.

»Seht unsere Königinmutter, wie sie uns erwartet. Breitet die Felle der Schafe aus vor ihr, sachte, sachte. Breitet die Früchte des Feldes aus vor ihr. Breitet die Kraft eurer Hände aus vor ihr, sachte, sachte. Breitet die Früchte der Arbeit, die Männer und Frauen gemeinsam geleistet haben, zu ihren Füßen aus. Denn sie ist das Leben.«

Großmutter, Mutter und Kind

Eine Geschichte aus Japan

Es war einmal ein berühmter Ringkämpfer, der war auf dem Weg zum Kaiser von Japan, um vor ihm zu kämpfen.
Einmal im Jahr trafen sich die stärksten Männer des Landes, um vor dem ganzen Hof ihre Kräfte zu messen. Es war zwar erst Herbst, und der Kampf sollte erst in drei Monaten stattfinden, aber die meisten trafen schon früher ein, weil es in der Hauptstadt lustiger zuging als irgendwo in der Provinz.

Unser Mann war ein ganz typischer Ringkämpfer. Er stampfte auf Beinen daher, so dick wie junge Baumstämme, und er sah aus wie ein Gebirge aus Fleisch und Muskeln. Er fühlte sich so stark und unbesiegbar, daß er darauf verzichten konnte, ein Schwert mit sich zu führen. Wovor hätte er sich fürchten sollen, er, den man ehrfürchtig Berg-ohne-Ende nannte!

Ihr merkt schon: Er war ziemlich eingebildet, dieser Berg-ohne-Ende, oder – um es ein wenig milder auszudrücken – sehr von sich überzeugt. Jetzt war er schon sieben Stunden gegangen und konnte leicht noch weitere sieben Stunden gehen, ohne müde zu werden, das wußte er.

Es pfiff ein frostiger Wind, aber der konnte ihm nichts anhaben. Ihm konnte überhaupt nichts und niemand etwas anhaben – dachte er in aller Bescheidenheit.

Und während er so bester Laune fürbaß schritt, sah er plötzlich, wie ein Mädchen seitlich die Böschung hochkletterte. Sie hatte wohl aus dem Bach, der irgendwo dort drüben vor sich hin murmelte, Wasser geholt, denn sie rückte einen Eimer auf ihrem Kopf zurecht und ging nun hüpfend und wippend vor ihm her.

Berg-ohne-Ende bekam vor Begeisterung glänzende Augen. Rote Backen hatte sie gehabt und eine nette, runde Knopfnase, und ihre Augen hatten gefunkelt, als ob sie an tausend lustige Geschichten zugleich dächte. Die

Hände, die den Eimer hielten, waren klein und mollig, mit Grübchen darin – sie war überhaupt ein wonniges kleines Ding, genau sein Geschmack.

Er stellte sich vor, wie sie »Huch!« machen würde, wenn er sie unversehens von hinten kitzeln würde. Vielleicht würde sie sogar den Eimer fallen lassen, und das wäre überhaupt der Gipfel der Lustigkeit – er konnte ja zurücklaufen und ihn ihr wieder füllen. Schließlich sollte es nur ein kleiner Spaß sein; nicht daß er ihr schaden wollte.

Wie sie da so drall und fröhlich vor ihm herwippte, konnte er einfach nicht länger widerstehen. Auf Zehenspitzen schlich er sich an sie heran und bohrte ihr seinen stämmigen Zeigefinger in die gut gepolsterten Rippen. »Kotschokotschokotscho!« sagte er, wie man es in Japan unter feinen Leuten tut, wenn man jemanden kitzelt.

Tatsächlich quietschte das Mädchen auch ganz wie erwartet auf, kicherte und nahm einen Arm herunter, so daß seine Hand zwischen ihrem Arm und ihrem Körper festgeklemmt wurde.

»Hahaha! Du hast mich gefangen! Ich kann mich nicht mehr bewegen!« lachte der Ringer.

»Ich weiß«, sagte das Mädchen fröhlich.

Er fand es sehr nett von ihr, seinen Spaß nicht weiter übelzunehmen, und versuchte, seine Hand herauszuziehen.

Irgendwie ging es nicht.

Ein richtiger Schelm, dieses Mädchen. Das hatte er doch gleich gesehen. Aber nun war es genug. »Na, nun laß los, kleines Mädchen«, sagte er. »Weißt du, ich bin sehr stark, und wenn ich noch ein bißchen mehr ziehe, tue ich dir vielleicht weh.«

»Zieh ruhig«, sagte das Mädchen. »Ich liebe starke Männer.«

Und nun zog sie ihn doch wahr und wahrhaftig hinter sich her, er mochte sich dagegenstemmen, soviel er wollte. Und sie drehte sich noch nicht einmal nach ihm um! Wäre er ein Hund, ein ganz kleines Hündchen, gewesen – sie hätte ihn und seine Anstrengungen nicht weniger beachten können!

Der Ringer begann Blut und Wasser zu schwitzen und betete insgeheim, die Straße möge auch weiterhin so einsam und menschenleer bleiben.

»Bitte laß los«, bat er schließlich ganz höflich. »Ich bin der berühmte Ringer Berg-ohne-Ende. Ich muß gehen und meine Kraft vor dem Kaiser zeigen – und du tust mir weh«, brach es aus ihm heraus, und vor Scham und Verzweiflung kamen ihm die Tränen. Und was machte das freche kleine Ding? Sie blickte mitleidig zu ihm zurück und fragte, ob sie ihn tragen sollte – ihn, den berühmten Ringer Berg-ohne-Ende!

»Ich bin nicht müde. Ich will nicht getragen werden. Ich will, daß du mich losläßt, und dann will ich vergessen, daß ich dich je gesehen habe. Was willst du denn von mir?« stöhnte der arme Ringer.

»Aber ich will dir doch nur helfen«, sagte das Mädchen. »Sieh mal, du bist sicher nicht besser und nicht schlechter als die meisten Ringkämpfer. Ihr kämpft ein bißchen hin und her, der eine gewinnt, der andere verliert – es ist weiter nichts dabei und tut auch nicht besonders weh. Aber hast du denn gar keine Angst, eines Tages einem wirklich starken Mann zu begegnen?«

Berg-ohne-Ende quollen die Augen heraus, und er wurde blaß. Er konnte schon richtig hören, wie man ihn in ganz Japan als »Berg-ganz-am-Ende« verlachte.

»Was willst du bloß von mir?« jammerte er wieder.

»Ich mache dir einen Vorschlag«, antwortete das Mädchen und rückte mit der freien Hand den Eimer auf ihrem Kopf zurecht. »Die Spiele fangen doch erst in drei Monaten an. Das weiß ich, weil Großmutter eigentlich hingehen wollte, aber sie hat es sich wieder anders überlegt. Wie wäre es, wenn du mit mir nach Hause kämst? Wir drei, meine Mutter, meine Großmutter und ich, wir könnten einen wirklich starken Mann aus dir machen, wenn die Zeit auch ein wenig kurz ist. In der Hauptstadt kommst du doch nur in schlechte Gesellschaft und vertust das bißchen Kraft, das du hast.«

Und liebevoll drückte sie seine Hand ein wenig an sich, und dem Ringer brach wieder der Schweiß aus.

Was sollte er machen? Wenn er nein sagte, ärgerte sich dieses unglaubliche Mädchen vielleicht und ließ ihn im nächsten Baumwipfel sitzen, bis er es sich anders überlegte! Zu verlieren hatte er eh nichts mehr – also sagte er ja. »Aber nur drei Monate!«

»Au fein«, strahlte das Mädchen. »Aber nicht weglaufen! Ich kann bestimmt schneller laufen als du und würde dich wieder zurückholen. Versprochen ist versprochen!« Und damit ließ sie seine Hand endlich los.

Benommen stolperte der Ringer hinter ihr her und massierte seine Hand, die rot und geschwollen war. Bald darauf erreichten sie ein schmales Tal. Mitten darin stand ein einfaches Bauernhaus mit einem Strohdach.

»Großmutter ist sicher zu Hause«, sagte das Mädchen und beschattete die Augen mit der Hand. »Sie ist schon alt und hält wahrscheinlich ihr Mittagsschläfchen. Aber Mutter müßte bald mit der Kuh von der Weide kommen – oh, da ist sie ja schon!«

Um die Hausecke kam eine Frau gebogen. Das Mädchen winkte, und die Frau stellte die Kuh, die sie auf dem Arm getragen hatte, ab und winkte zurück. Lächelnd und mit dem gleichen wippenden Gang wie die Tochter kam sie durch das Gras auf sie zu. Na ja, ein bißchen schwerer war ihr Schritt vielleicht doch, dachte der Ringer unbehaglich.

»Entschuldigung« sagte sie und strich sich ein paar Kuhhaare vom Kleid. »Diese Gebirgspfade sind so steinig. Da tun der armen Kuh immer die Füße weh. – Und wer ist dieser nette junge Mann, Maru-mi?«

»Bitte laß los«, jammerte er

Das Mädchen sprudelte die Geschichte ihrer Begegnung heraus und fügte besorgt hinzu: »Glaubst du, daß wir es in drei Monaten schaffen können?«

»Na ja«, meinte die Mutter nachdenklich. »Viel ist es wirklich nicht, aber besser als nichts. Er sieht nur so schrecklich schwach aus. Erst einmal braucht er gut zu essen. Wenn er dann ein bißchen mehr Kraft hat, kann er Großmutter bei der leichteren Arbeit zur Hand gehen.«

»Au fein«, sagte das Mädchen wieder und rief nach der Großmutter – laut, denn die alte Dame war ein wenig schwerhörig.

»Komme schon!« krächzte eine Stimme von drinnen, und heraus kam eine kleine alte Frau, die sich auf einen Stock stützte und noch ganz verschlafen aussah. Das war sie wohl auch noch, denn auf dem Weg zu ihnen stolperte sie über die Wurzeln einer großen Eiche. »Hach! Meine Augen sind auch nicht mehr, was sie einmal waren. Das ist jetzt schon das vierte Mal in diesem Monat, daß ich über diesen dummen Baum stolpere«, beschwerte sie sich, umfaßte den Stamm mit ihren dürren Armen und riß ihn heraus.

»Oh, Großmutter: Hättest du mich das doch machen lassen!« rief Marumi.

»Hm. Hoffentlich habe ich mir nicht wieder den Rücken verrenkt. Man wird ja auch nicht jünger«, murmelte die alte Dame. Sie rief: »Tochter! Sei ein liebes Kind und wirf diesen alten Baum weg, bevor noch einmal jemand darüberfällt. Aber paß auf, daß du niemanden triffst.«

»Du kannst meiner Mutter dabei helfen«, sagte Maru-mi zu Berg-ohne-Ende. »Das heißt, vielleicht hilfst du doch besser nicht. Schau lieber zu.«

Die Mutter ging zu dem Baum hin, packte ihn und warf ihn mit einem leisen Keuchen in die Luft. Er flog hoch empor, flog und flog und drehte sich dabei, bis er immer kleiner wurde und endlich mit einem schwachen Aufschlag weit oben am Berg landete. Die Mutter wischte sich über die Stirn. »Ich bin nicht in Form«, sagte sie leicht verärgert. »Eigentlich wollte ich ihn *über* den Berg werfen. Vermutlich liegt er jetzt quer über dem Weg, und ich muß morgen früh aufstehen und mich noch einmal mit ihm befassen.« Die letzten Worte hörte der Ringer nicht mehr. Er war still und leise in Ohnmacht gefallen.

»Oh, der Arme!« sagte Maru-mi. »Wir müssen ihn zu Bett bringen.«

»Er hält wirklich nicht viel aus«, meinte die Mutter besorgt.

»Hoffentlich können wir etwas für ihn tun. Komm, ich trage ihn. Er ist ja nicht leicht«, sagte die Großmutter. Sie hängte ihn sich über die Schulter und trug ihn ins Haus, wobei ihr Krückstock leise ächzte.

Am nächsten Tag begannen sie damit, aus Berg-ohne-Ende das zu machen, was sie einen wirklich starken Mann nannten. Wie gesagt war die

Nahrung sehr wichtig. Jeden Tag bereiteten sie seinen Reis mit weniger Wasser zu, bis er so hart und konzentriert war, daß kein normaler Mensch ihn mehr hätte kauen oder verdauen können.

Tagsüber mußte er die Arbeit von fünf Männern verrichten, und am Abend machte er zur Entspannung einen Ringkampf mit Großmutter. Mutter und Tochter waren der Meinung, daß bei ihr, alt und schwach wie sie war, am wenigsten Gefahr bestand, daß sie Berg-ohne-Ende aus Versehen verletzte. Außerdem hofften sie, die Bewegung würde Großmutters Rheumatismus guttun.

Ohne daß er es richtig merkte, wurde er immer stärker. Großmutter warf ihn zwar immer noch mit Leichtigkeit in die Luft – und fing ihn wieder auf –, ohne daß sich eine Runzel in ihrem lieben alten Gesicht änderte, aber seine Beine, die wie Baumstämme gewesen waren, waren nun wie Säulen. Seine Hände waren breit und hart wie Stein, und wenn er mit den Gelenken knackte, hörte es sich an, wie wenn in kalten Nächten Bäume im Frost splitterten.

Ab und zu machte er eine Übung, die alle Ringer in Japan machen – er hob einen Fuß an und setzte ihn krachend wieder zu Boden. Dann sahen die Leute in den umliegenden Dörfern in den Winterhimmel und sagten zueinander, es sei doch sehr spät im Jahr für ein Gewitter.

Bald konnte er Bäume ebenso gut ausreißen wie Großmutter. Er konnte sogar damit werfen – aber nicht sehr weit.

Fast am Ende der drei Monate rang er eines Abends mit Großmutter und konnte sie doch tatsächlich eine halbe Minute niederhalten.

»Hehehe!« Kichernd stand sie auf und strahlte über ihr ganzes freundliches Gesicht. »Wer hätte das gedacht!«

Maru-mi führte einen Freudentanz auf und umarmte ihn – vorsichtig, um ihm nicht die Rippen zu brechen.

»Sehr gut! Sehr gut! Was für ein starker Mann«, sagte die Mutter, die gerade nach Hause gekommen war und wie üblich die Kuh trug. Sie stellte sie ab und klopfte Berg-ohne-Ende auf die Schulter. Jetzt, so fanden sie, konnte er sich vor dem Kaiser sehen lassen und ihm zeigen, was wirkliche Kraft war.

»Nimm die Kuh mit, wenn du morgen losgehst«, sagte die Mutter. »Verkaufe sie und kaufe dir für das Geld einen Gürtel – den dicksten und kostbarsten Seidengürtel, den du nur finden kannst. Wir wollen doch stolz auf dich sein.«

»Es würde mir im Traum nicht einfallen, euch eure einzige Kuh wegzunehmen. Ihr habt schon viel zuviel für mich getan. Und ihr braucht sie doch sicher zum Pflügen.«

Die drei prusteten los. Maru-mi quietschte, ihre Mutter brüllte vor Lachen, die Großmutter kicherte so heftig und ausdauernd, daß sie sich verschluckte und man ihr auf den Rücken klopfen mußte.

»Lieber Himmel«, keuchte die Mutter endlich. »Du hast doch nicht im Ernst geglaubt, wir hätten die Kuh zum Arbeiten! Großmutter hier ist stärker als fünf Kühe zusammen.«

»Die Kuh ist unser Haustier«, kicherte Maru-mi. »Sie hat so schöne braune Augen.«

»Aber ich war es sowieso schon ziemlich leid, sie immer hin- und herzutragen, damit sie genug zu fressen hat«, sagte die Mutter. »Mit der Zeit wird so etwas ganz schön lästig.«

»Dann müßt ihr aber wenigstens die Geldpreise annehmen, die ich gewinne«, sagte Berg-ohne-Ende.

»O nein. Kein Gedanke daran!« erwiderte Maru-mi. »Wir haben dich viel zu gern, um dir etwas zu verkaufen. Und schenken lassen können wir uns von Fremden auch nichts; das gehört sich nicht.«

»Auch wieder wahr«, sagte Berg-ohne-Ende. »Aber wenn ich nun zur Familie gehörte? Ich möchte deine Mutter und deine Großmutter um Erlaubnis bitten, dich zu heiraten. Dann gehöre ich doch zur Familie, oder?«

»Au fein«, sagte Maru-mi. »Ich fange gleich mit meinem Hochzeitskleid an.«

Mutter und Großmutter taten zwar so, als müßten sie sich das sorgfältig überlegen, aber sie waren bald einverstanden.

Am nächsten Morgen wand Berg-ohne-Ende seine Haare zu dem Knoten, den alle japanischen Ringer tragen, und machte sich fertig zum Gehen. Er dankte Maru-mi und ihrer Mutter, und vor der Großmutter machte er eine tiefe Verbeugung, denn sie war die Älteste und ihm außerdem ein erstklassiger Gegner gewesen.

Dann nahm er die Kuh auf den Arm und stieg den Berg hinauf. Oben hing er sich die Kuh über eine Schulter und winkte Maru-mi zum Abschied.

In der ersten Stadt, durch die er kam, verkaufte er die Kuh. Sie brachte einen guten Preis, so weich und fett, wie sie war. Schließlich hatte sie in ihrem ganzen Leben nicht gearbeitet und kaum einen Schritt getan. Mit dem Geld kaufte er den dicksten Seidengürtel, den er finden konnte.

Im Palast war alles wie immer. Die Ringer saßen herum, vertilgten gewaltige Schüsseln mit Reis, prahlten mit ihrem Gewicht und gaben überhaupt fürchterlich an. Niemand beachtete Berg-ohne-Ende sonderlich, und er beteiligte sich auch nicht an ihrem Gerede. Still zog er sich in eine Ecke zurück und wartete auf den Beginn der Ringkämpfe.

Sie wurden in einem eigens dafür hergerichteten Hof abgehalten, in dem ein Ring mit Seilen abgesteckt war. Darum herum war der Hofstaat versammelt. Alle waren ungeheuer fein und trugen viele Gewänder in Schichten übereinander, um zu zeigen, wie reich sie waren. Jedes Kleid war aus schwerem Goldbrokat oder kunstvoll bestickt, und alle miteinander waren so schwer, daß ihren Trägern trotz der Winterkälte der Schweiß in Strömen über das Gesicht rann und dort zu Eis gefror. Das verlieh ihrem Lächeln einen etwas mühsamen Zug.

Die Herren schleppten sich zudem mit Schwertern ab, die vor lauter Gold und Edelsteinen so viel wogen, daß sie sie nie hätten benützen können, selbst wenn sie gewußt hätten, wie man das macht. Die Hofdamen ließen das lange, lackschwarze Haar lose über den Rücken fallen und hatten das Gesicht kalkweiß angemalt, was ihnen einen erschreckten Ausdruck verlieh. Die Augenbrauen waren ausgezupft und durch künstliche Bögen ersetzt, die sich hoch in die Stirn schwangen, und nun sahen sie alle aus, als seien sie von irgend etwas höchst überrascht.

Der Kaiser war nicht zu sehen. Er war zu vornehm, als daß gewöhnliche Menschen ihn hätten anstarren dürfen; deshalb mußte er allein hinter einem Wandschirm sitzen, was sehr langweilig war, denn er konnte nur sehr wenig von dem sehen, was draußen vorging. Die Ringkämpfe interessierten ihn allerdings sowieso nicht besonders. Er war ein einsamer, alter Mann mit einem müden, freundlichen Gesicht, und er wäre viel lieber allein auf seinem Zimmer gewesen und hätte Gedichte geschrieben.

Als erstes Paar wurden Berg-ohne-Ende und ein Ringer gewählt, der sich rühmte, den dicksten Bauch im ganzen Land zu haben. Er und Berg-ohne-Ende streuten etwas Salz in den Ring. Das sollte die bösen Geister vertreiben.

Dann nahm der andere Ringer seinen Bauch etwas zur Seite, hob einen Fuß und setzte ihn mit beträchtlichem Krach wieder zu Boden. Wild starrte er Berg-ohne-Ende an, als wollte er sagen: »So, du Schwächling, jetzt bist du an der Reihe!«

Berg-ohne-Ende hob den Fuß und setzte ihn nieder.

Es gab ein Getöse wie Donnergrollen, die Erde bebte, und der andere Ringer wurde emporgeschleudert und flog mit der Grazie einer Seifenblase geradewegs aus dem Ring.

Er krabbelte auf die Füße, verbeugte sich vor dem kaiserlichen Wandschirm und sagte:

»Die Erde ist zornig. Vielleicht hat etwas mit dem Salz nicht gestimmt. Ich glaube, ich lasse diese Saison besser ausfallen.«

Und damit ging er und sah sich über die Schulter mißtrauisch nach Berg-ohne-Ende um.

Auf der Stelle beschlossen fünf weitere Ringer, in dieser Saison nicht zu kämpfen. Irgendwie schienen sie der Qualität des Salzes dieses Jahr nicht recht zu trauen, und auf Berg-ohne-Ende waren sie, ihren Gesichtern nach zu urteilen, wohl aus irgendeinem Grund böse.

Von da an setzte Berg-ohne-Ende den Fuß nur noch ganz leicht auf. Jeden Ringer, der vor ihn hintrat, hob er sanft auf, trug ihn aus dem Ring und legte ihn vor dem Wandschirm des Kaisers ab, wobei er sich jedesmal höflich verneigte.

Die Augenbrauen der Hofdamen stiegen noch höher. Die Herren wirkten etwas beunruhigt. Sie sahen es gern, wenn starke Männer wild aneinander herumzerrten und keuchten und stöhnten, aber Berg-ohne-Ende war ihnen ein bißchen zuviel. Nur der Kaiser hinter seinem Schirm war glücklich, denn nachdem die Kämpfe so schnell vorüber waren, blieb ihm um so mehr Zeit für seine Gedichte. Er befahl, daß alle Geldpreise an Berg-ohne-Ende zu zahlen seien.

»Aber nun«, sagte er, »hörst du mit dem Ringen besser auf«, und damit streckte er einen Finger durch den Wandschirm und zeigte damit mahnend auf die anderen Ringer, die auf dem Boden saßen und weinten wie große, dicke Babys.

Berg-ohne-Ende versprach, nie mehr zum Ringkampf anzutreten. Da sahen alle ganz erleichtert aus. Die Ringer am Boden lächelten beinahe.

»Ich glaube, ich werde lieber Bauer«, sagte Berg-ohne-Ende mehr zu sich selbst und machte sich sogleich auf den Rückweg zu Maru-mi.

Maru-mi wartete schon auf ihn. Als sie ihn kommen sah, lief sie den Berg hinunter, hob ihn mitsamt den schweren Taschen voller Geldpreise hoch und trug ihn fast den halben Weg nach Hause. Dann kicherte sie und setzte ihn ab. Den Rest des Weges durfte er sie tragen.

Berg-ohne-Ende hielt das Versprechen, das er dem Kaiser gegeben hatte, und kämpfte nie mehr in der Öffentlichkeit. In der Hauptstadt vergaß man seinen Namen, gern und schnell. Aber wenn oben in den Bergen die Erde grollt und bebt, sagen die Menschen heute noch, daß Berg-ohne-Ende und Maru-mis Großmutter im verborgenen Tal wieder einmal einen Ringkampf austragen.

Die Zauberperle

Eine Erzählung aus Vietnam

Es war einmal ein Waisenmädchen, das hieß Wa und lebte an den Ufern des Mekong. Seit es groß genug war, eine Kippe voll Reis auf dem Rücken zu tragen, hatte es für den reichsten Mann im Dorf schuften müssen.

Wie die anderen Dörfler auch arbeitete Wa hart und lange für ihren Herrn und verdiente doch kaum genug zum Leben. Sie schnitt Äste von Bäumen, die die stärksten Männer kaum fällen konnten, und wenn der Reis reif war, mußte sie von morgens bis abends Reiskörner enthülsen. Von der Waldarbeit bekam sie Blasen an den Händen, und wenn ihre Haut endlich verhornt war, juckten sie die Handflächen von den spitzen, harten Reisspelzen. Jeden Abend sammelte sie Kräuter und legte sie auf ihre wunden, juckenden Hände, und auch andere Arbeiter kamen und ließen ihre Wunden von ihr behandeln, denn sie kannte viele Heilkräuter.

Eines Tages war sie mit ihrem Freund Ho wieder mit der neuen Reisernte beschäftigt. Ho war so dünn, daß die Rippen durch das zerrissene Hemd stachen. Traurig sprachen sie über ihr mühsames Leben und darüber, wie viele ihrer Leidensgenossen wohl noch Hungers sterben würden, bevor das Jahr um war.

Da kam ein Bote des reichen Mannes zu Wa und befahl ihr, zum Reishaus zu gehen, das auf Pfählen nahe bei den Reisfeldern stand, und dort Wache zu halten. Das Haus war bis unters Dach voll mit Bergen von Vorräten, und das hungrige Mädchen hätte zu gern etwas davon genommen, aber sie traute sich nicht, weil der reiche Mann gesagt hatte:

»Ein böser Geist beschützt meinen Reis. Wenn du auch nur ein Körnchen davon ißt, dringt er in dich ein, und dann mußt du sterben und wirst selbst ein Reiskorn.«

Also blieb Wa lieber hungrig.

Als es dunkel wurde, überwältigte sie die Müdigkeit, und sie schlief ein. Im Traum sah sie den reichen Mann immer dicker und reicher werden von dem Reisberg, der immer höher und höher wurde, während die Dorfbewohner, die ihn auftürmten, immer dünner und kranker wurden.

Ein heftiger Tritt in die Rippen ließ sie aufschrecken. Vor ihr stand der Sohn des reichen Mannes. »Du faules Stück!« schrie er sie an. »Bis ich wiederkomme, hast du mir diesen Eimer voll Wasser geholt!«

Wa sprang entsetzt hoch, und er ging lachend davon. Schnell nahm sie den Eimer und lief zum Fluß.

Eine sanfte Brise kräuselte die Wasseroberfläche, und kleine Wellen umspielten ihre wunden, schmerzenden Füße. Wa seufzte und beugte sich nieder, um den Eimer zu füllen. Plötzlich begann das Wasser zu dampfen und zu klingen wie die Saiten eines Torongs, und Wa sprang voller Schrecken zurück ans trockene Land.

Aus dem silbernen Schaum tauchte eine große, stolze Mädchengestalt in einem langen, schimmernden Gewand auf. Sie kam näher, ergriff Was zitternde Hand und sagte freundlich: »Die Tochter des Wassergeistes ist krank. Unsere weisen Frauen sagen, daß du, Wa, dich gut mit Kräutern auskennst und sie heilen kannst. Bitte komm mit mir und kümmere dich um sie.«

»Nein, nein, das kann ich nicht«, rief Wa. »Ich muß das Reishaus bewachen. Der Herr bringt mich um, wenn ich nicht da bin.«

»Erzürne uns nicht, Wa. Der Wassergeist ist mächtiger als dein Dorftyrann. Wenn du nicht kommst, werden die Geister dich bestrafen.«

Das Wasser wich vor ihr nach beiden Seiten auseinander, und das stattliche Mädchen führte Wa den trockenen Weg hinunter in die Tiefen des Wassers.

Wa erfuhr, daß die Tochter des Wassergeistes von einem Skorpion gestochen worden war, als sie am Ufer gespielt hatte. Seitdem war sie krank. Und alle Unterwasserärzte – die Krabben und Aale – machten zwar ein großes Tamtam um das kranke Mädchen, aber keiner hatte sie von ihrer seltsamen Krankheit heilen können. Seit drei Monaten lag sie nun schon im Fieber und konnte weder essen noch schlafen.

Wa berührte vorsichtig die Wunde und sagte den weisen Frauen, welche Kräuter sie ihr holen sollten. Damit behandelte sie dann das Mädchen, und nach drei Tagen war es wieder gesund.

Der Wassergeist war überglücklich. »Womit soll ich dir das nur lohnen, liebe Wa?« fragte er.

»Ich wünsche mir nur, daß meine Leute nicht mehr darben müssen«, erwiderte sie.

Aus dem silbernen Schaum tauchte ein Mädchen auf

Daraufhin überreichte ihr der Wassergeist eine kostbare Perle und sagte: »Diese Perle kann jeden Wunsch erfüllen.«

Wa dankte ihm und kam trockenen Fußes wieder ans Ufer zurück. Als sie das Reishaus erreichte, sah sie voller Schrecken die Spuren unzähliger Vögel, klein und groß, um das Haus herum. Sie hatten den unbewachten Reis zur Hälfte aufgefressen.

Gerade ging ein alter Mann vorüber und starrte Wa überrascht an. »Wo bist du nur die ganzen drei Monate gewesen?« fragte er. »Nimm dich in acht, du wirst Ärger bekommen. Sieh dich nur um: Diese diebischen Vögel haben dem Herrn den Reis gestohlen. Er sucht dich überall, und er kocht vor Wut.«

Wa ging traurig weiter. Schließlich setzte sie sich auf die Erde und ließ den Kopf hängen. Ihr dünnes Kleid wurde naß von Tränen. Aber dann fiel ihr plötzlich die kostbare Perle wieder ein. Sie zog das Geschenk des Wassergeistes hervor und murmelte: »Du wunderschöne Perle, bring mir Reis.«

Augenblicklich stand eine Riesenschale vor ihr. In der Mitte türmte sich ein weißschimmernder Berg Reis auf, aber darum herum waren auch noch die verlockendsten Delikatessen angeordnet – eine Reistafel, wie man sie sich schöner und üppiger nicht vorstellen konnte. Und hinter ihr wuchs noch einmal ein Berg Reis empor, dreimal so hoch wie das Vorratshaus des reichen Mannes im Dorf.

Sie klatschte vor Freude in die Hände und machte sich heißhungrig über die Speisen her. Aber dann hielt sie plötzlich inne. Ihr Freund Ho war ihr eingefallen. Auch er war arm und mußte den ganzen Tag in den Reisfeldern schuften. Sie holte die Perle wieder hervor und sagte: »Du wunderschöne Perle, bring mir ein Haus, ein Gespann Ochsen und ein paar Hühner. Und dann bring meinen Freund Ho her.«

Wa hatte noch kaum ausgesprochen, da wuchs zu ihrer Rechten ein großes Haus auf Bambuspfählen aus dem Boden. Darum herum kratzten Hühner im Sand, und zwischen den Pfählen stand ein Gespann milchweißer Ochsen. Im Hausinnern konnte sie kupferne Gongs und Pfannen, einen Messingkessel über dem Feuer und Krüge mit Eingemachtem erkennen. Im selben Augenblick erschien ganz verdutzt ihr Freund Ho, und zusammen gingen sie in das Haus, und Wa erzählte ihm ihre wundersame Geschichte.

Am nächsten Morgen machte sich Wa auf zum Haus des reichen Mannes. Sobald er sie zu Gesicht bekam, brüllte er auf wie ein wütender Ochse.

»Uahrrr, da kommt ja dieses kleine Miststück, das meinen Reis gestohlen hat! Dich lasse ich den Tigern in den Bergen vorwerfen!«

»Es war nicht meine Schuld, daß Ihr Euren Reis verloren habt«, sprach Wa mutig. »Auf jeden Fall werde ich Euch ersetzen, was fehlt. Schickt nur Euren Sohn vorbei; er soll es abholen.«

»Geh nur gleich voraus«, zischte der Sohn des reichen Mannes. »Ich hole es mir lieber auf der Stelle. Und wenn auch nur ein Körnchen fehlt, reiße ich dir den Kopf ab.«

Als er aber Was schönes Haus sah, blieb ihm der Mund offenstehen, und die Augen quollen ihm fast aus den Höhlen.

»Hallo, Ho«, rief Wa. »Der Sohn des Herrn ist gekommen und will seinen Reis holen. Gib ihm, so viel er will. Ich geh' derweil zum Fluß zum Fischen.«

Als der Mann sich von seiner Verblüffung erholt hatte, lief er zum Flußufer und starrte das Mädchen mit ganz neuem Respekt an. Wa erschien ihm nun stark und schön, schöner als der schönste Dschungelbaum.

»Ich w-w-will d-d-deinen Reis gar nicht, liebe W-Wa«, stotterte er. »Ich w-w-w-will dich h-h-heiraten.«

Wa lachte nur. »Nimm deinen Reis und verschwinde«, sagte sie. »Ich kann deinen Anblick nicht ertragen.«

Langsam ging der Sohn nach Hause und erzählte alles seinem Vater. Voller Wut rief dieser nach seiner Wache.

»Nehmt Eure Speere, Eure Schwerter, Bogen und Pfeile«, kreischte er. »Diesem niedriggeborenen Dreckspatz werden wir es zeigen! Bringt sie um und bringt mir ihre Reichtümer her!«

Aber die Guten unter den Dorfbewohnern liefen schnell zu Wa und warnten sie. Sofort nahm das beherzte junge Mädchen die Zauberperle heraus und sagte: »Du wunderschöne Perle, beschütze uns vor dem bösen Mann.«

Da wuchsen um das Haus des reichen Mannes plötzlich lauter hohe, steile Berge empor. Er versuchte sie mit seinen Leuten zu ersteigen, aber nach drei Monaten hatten sie noch nicht einmal ein Viertel geschafft und mußte schließlich aufgeben. Besiegt kehrten sie in ihr enges Tal zurück und konnten nun arme Leute nie mehr drangsalieren.

Wa und Ho aber lebten auf der anderen Seite des Berges glücklich und zufrieden. Die weise, gerechte Wa teilte ihren Reichtum mit den anderen Leuten, so daß diese nie mehr Hunger zu leiden brauchten, und sie beschützte sie immer dank der Zauberkraft ihrer Perle.

Der Junker auf Freiersfüßen

Eine alte Erzählung aus Norwegen

Es war einmal ein reicher Junker, der hatte eine Scheune voller Silber und einen Haufen Gold auf der Bank. Ihm gehörte das Land, so weit das Auge reichte. Er war gesund und kräftig – das einzige, was ihm fehlte, war eine Frau, und dem gedachte er abzuhelfen. »Schließlich bin ich reich«, so dachte er. »Da werde ich ja wohl die Wahl haben.«

Eines Nachmittags wanderte er einen Feldweg entlang und sah ein kräftiges junges Mädchen bei der Heuernte. Und er rieb sich die grauen Bartstoppeln am Kinn und brummte vor sich hin: »Och, die wäre gar nicht übel. Und Lohn könnte ich mit ihr auch noch einsparen. Sie ist nichts als ein armes Bauernmädchen; sie wird meinen Antrag mit Freuden annehmen.«

Also ließ er sie ins Herrenhaus kommen, und da saß sie nun, ganz heiß und rot von der Arbeit.

»Also, Mädchen«, fing er an. »Ich habe vor zu heiraten.«

»Man zu«, sagte das Mädchen. »Dem steht ja wohl nichts im Wege.« Insgeheim fragte sie sich, ob der alte Knabe etwa sie meinte. Warum sonst hätte er sie rufen lassen sollen?

»Also, Kleine, meine Wahl ist auf dich gefallen. Du wirst sicher eine ganz brauchbare Frau.«

»Nein danke«, sagte sie. »Aber ich fühle mich sehr geehrt.«

Dem Junker stieg die Röte ins Gesicht. Er war es nicht gewöhnt, daß ihm jemand widersprach. Aber je mehr er tönte, desto entschiedener lehnte sie ab, und das nicht einmal besonders höflich. Und je mehr sie sich weigerte, desto mehr wollte er haben, was er nicht bekommen konnte. Mit einem Seufzer ließ er sie schließlich gehen und schickte nach ihrem Vater. Vielleicht konnte der seine Tochter zur Vernunft bringen.

»Streng dich an, Mann«, dröhnte er. »Ich vergesse das Geld, das ich von

72

dir noch zu bekommen hätte, und obendrein schenke ich dir eine schöne Wiese. Was sagst du dazu?«

»Oh, sicher, Herr. Ich werd' sie schon überzeugen«, meinte der Vater. »Vergebt ihr ihre offene Sprache, Herr. Sie ist noch jung und weiß nicht, was gut für sie ist.«

Aber er mochte schmeicheln und drohen, soviel er wollte – das Mädchen blieb fest: Sie wollte den alten Geizkragen nicht, und dabei blieb es.

Als der arme Bauer nicht mit der Zustimmung der Tochter zurückkam, wütete und stampfte der Junker wie ein Stier. Und nun wollte er sie gerade haben! Am nächsten Tag suchte er den Mann auf. »Sieh zu, daß du die Sache ins Lot bringst«, bellte er, »oder du kannst etwas erleben.«

Der Vater wußte sich keinen Rat mehr, aber dann heckte er zusammen mit dem Junker einen Plan aus. Der Junker sollte die Hochzeit vorbereiten, mit Pfarrer, Gästen und Hochzeitsmahl, und der Bauer würde die Tochter zu ihm schicken, ohne etwas von der Hochzeit zu sagen. Sie sollte glauben, es warte Arbeit auf sie. Und dort würde sie natürlich so hingerissen sein von ihrem Hochzeitskleid, so eingeschüchtert durch den Pfarrer und die vielen Gäste, daß sie sich nicht länger weigern würde. Wie konnte ein Bauernmädchen im Ernst den Junker ausschlagen?

Als alle Gäste im Herrenhaus versammelt waren, das weiße Hochzeitskleid bereit lag und der Pfarrer im vollen Ornat eingetroffen war, schickte der Junker einen Stallburschen zu dem Bauern und sagte ihm, er solle das holen, was dieser ihm versprochen habe. »Und beeil dich, sonst ziehe ich dir das Fell über die Ohren«, fügte er noch hinzu.

Der Stallbursche rannte los und fragte sich, was der Bauer dem Junker wohl versprochen haben mochte. Und schon klopfte er an die Tür des Bauernhauses.

»Ich soll holen, was Ihr dem Herrn versprochen habt«, keuchte er.

»Oh ja, ganz recht«, sagte der Bauer. »Sie ist unten auf der Wiese. Am besten holst du sie gleich selbst.«

Also rannte der Bursche weiter und traf auf der Wiese das Mädchen, das Heu zusammenrechte.

»Ich soll das holen, was Euer Vater dem Junker versprochen hat«, erklärte er außer Atem.

Das Mädchen brauchte nicht allzu lange, um sich darauf einen Reim zu machen.

So haben sich die beiden das also vorgestellt, dachte sie, und ihre Augen funkelten. »Na denn, Junge, dann nimm sie mal mit – die alte Schimmelstute da unten auf der Weide.«

Mit einem Satz war der Junge auf dem Rücken der Stute und galoppierte nach Hause wie der Wind. Am Eingang sprang er ab, stürzte hinein und rief:

Die Stute wieherte hellauf und floh, so schnell die Hufe sie trugen

»Sie ist an der Tür, Herr.«

»Sehr gut«, rief der Junker zurück. »Bring sie hinauf in das Zimmer meiner verstorbenen Mutter.«

»Aber, Herr...«

»Was heißt hier ›aber‹, du Lümmel«, brüllte der Junker. »Wenn du es allein nicht fertigbringst, dann hol dir jemand zu Hilfe.«

Ein Blick auf das zornrote Gesicht des Junkers genügte dem Jungen: Widerspruch war zwecklos. Also rief er ein paar andere Knechte zusammen. Ein paar zogen die alte Stute an den Ohren, ein paar schoben von hinten, bis sie sie schließlich die Treppe hoch und in das leere Zimmer geschafft hatten. Dort banden sie die Zügel an den Bettpfosten und ließen sie stehen.

»Das war die schlimmste Schufterei meines Lebens«, beklagte sich der Junge bitterlich, als er dem Junker Bericht erstattete.

»Dann schick jetzt das Weibervolk hinauf«, sagte der Junker. »Sie sollen ihr das Hochzeitskleid anziehen.«

Der Stallbursche glotzte.

»Los, los, du kleiner Mistkäfer. Und sag ihnen, sie sollen den Schleier und den Brautkranz nicht vergessen.«

Mit diesem Auftrag platzte der Stalljunge nun in die Küche. »He, ihr hier, ihr sollt hinaufgehen und der alten Stute das Hochzeitskleid anziehen, hat der Herr gesagt. Vielleicht will er den Gästen einen Streich spielen.«

Die Köchinnen und Stubenmädchen platzten fast vor Lachen. Aber schließlich kletterten sie doch die Treppe hoch und putzten die alte Stute als Braut heraus. Dann ging der Bursche wieder zu seinem Herrn.

»Gut, mein Junge, dann bring sie herunter. Ich bin mit den Gästen im Wohnzimmer. Mach einfach die Tür auf und kündige die Braut an.«

Es klapperte und schepperte nur so, bis sie die Stute die Treppe wieder hinuntergeführt hatten. Endlich stand sie nervös und zappelig in der Diele vor der Tür. Die Tür flog auf, und alle Gäste drehten sich um.

War das ein Schock!

Hereingetrabt kam die alte Schimmelstute im wehenden Hochzeitskleid, den Brautkranz über einem Ohr drapiert, den Schleier über den Augen. Aber das arme Tier erschrak nicht weniger. Es wieherte hellauf, drehte sich um und floh aus dem Haus, so schnell die Hufe es trugen.

Der Pfarrer schüttete sich den Portwein über das Purpurgewand, der Junker war starr vor Staunen, und die Gäste lachten so laut, daß man es meilenweit hören konnte.

Und der Junker, so heißt es, ging nie wieder auf Freiersfüßen. Das Mädchen soll später geheiratet haben, sagen einige. Andere sagen, sie hätte nicht geheiratet. Aber darauf kommt es auch nicht an. Sicher ist, daß sie danach glücklich und zufrieden lebte bis an ihr seliges Ende.

Die Sonnengöttin

Ein Märchen der Azteken

Vor der Sonne, die jetzt auf die Erde niederstrahlt, gab es andere Sonnen, vier insgesamt, die alle vergingen, bevor unsere heutige Sonne erschien.

Nach der vierten Sonne war die Erde in Düsternis getaucht. Es gab keine Morgenröte, keinen Sonnenuntergang, keine Tage voller Sonnenschein. Da beschlossen die Götter, der Erde eine fünfte und endgültige Sonne zu geben. Sie versammelten sich in Tectihuacan, dem Sitz der Götter, und diskutierten laut und lange darüber, was nun eigentlich geschehen sollte. Endlich wurden sie sich einig.

Die ersten vier Sonnen waren gestorben, weil sie es entweder müde geworden waren, den ganzen lieben langen Tag zu scheinen, oder weil die Götter neidisch geworden waren auf den ewigen Sonnenschein, der ihren eigenen Glanz verblassen ließ. Etwas mußte anders werden. Die Götter selbst wollten eine Sonne und einen Mond erschaffen. So brauchte die Sonne nur den halben Tag zu scheinen und konnte sich ausruhen, solange der Mond den Himmel erleuchtete. Wer aber sollte die Sonne, wer der Mond sein?

Es mußten zwei Götter sein, die nicht die Macht hatten, ihre göttliche Form wieder anzunehmen. Es sollte vielmehr ein Opfer sein: Wer Sonne oder Mond sein wollte, würde sich nicht in seiner neuen Gestalt sehen können; dafür würden Sonne und Mond aber auch unsterblich werden.

Nur ein Gott trat vor: Tecuciztecatl, der Gott der Schlangen und Würmer. Er war reich, stark und eitel, und er dachte, wenn er sich opferte, würde er als strahlende Sonne Unsterblichkeit erlangen.

Niemand wollte der Mond sein. Verlegen sahen sich die Götter um, bis ihr Blick auf eine bescheidene kleine Göttin in ihrer Mitte fiel: Nanahuaztzin, die Göttin der Aussätzigen. Wenn sie sich einverstanden erklärte, so das Angebot der anderen Götter, dann würden sie den Aussatz und alle anderen Verunstaltungen für immer von ihr nehmen und sie in den Mond verwandeln.

Nanahuaztzin wollte nicht sterben. Aber der Gedanke, den Menschen Licht zu bringen und sie auf ihren Wegen zu beschützen, ließ sie glücklich lächeln.

Die Götter begannen mit den Vorbereitungen. Zwei mächtige Altäre aus Stein wurden errichtet. Es war aber noch nicht festgelegt, welcher Altar für die Sonne und welcher für den Mond bestimmt war. Breite Steintreppen führten hinauf. Die beiden Opfer wurden gebadet und legten die Gewänder an, die sie für richtig hielten.

Tecuciztecatl prunkte in leuchtenden Farben und war mit herrlichen Federn, Ohrringen aus Jade und Türkis und einer Halskette aus schimmerndem Gold geschmückt.

Nanahuaztzin, die kleine Aussätzige, besaß keinerlei Prunkgewänder. So bemalte sie ihren wunden, roten Körper nur mit weißer Farbe und zog ein dünnes, zerrissenes Kleid aus Papier darüber, durch das man ihren schmächtigen Körper schimmern sah.

Inzwischen hatten die Götter auf den Altären Scheiterhaufen errichtet. Sie waren so hoch, daß die Flammen bis in den Himmel zu lodern schienen. Bei diesem Anblick erzitterte Tecuciztecatl und biß sich auf die Lippen. Nur Nanahuaztzin saß ruhig da, die Hände im Schoß gefaltet.

Tecuciztecatl gebührte die Ehre, als erster in die Flammen zu springen. Auf das Geheiß der Götter hin näherte er sich dem brüllenden Flammenmeer. Groß und stolz stand er auf seinem Altar aus weißem Stein. Die roten, grünen und gelben Federn auf seinem Kopf wehten im Wind. Aber der Mut verließ ihn, und er trat schnell zurück, blaß und zitternd. Dreimal wurde er aufgerufen, und dreimal zog er sich verzagt zurück.

Endlich verloren die Götter die Geduld, wandten sich Nanahuaztzin zu und riefen: »Spring!«

Sofort trat sie vor und stellte sich ohne Zögern an den Rand des Altars. Dann schloß sie die Augen, dachte an ihr Opfer und sprang mit einem tapferen Lächeln mitten in das rotglühende Herz der Flammen.

Beschämt und wütend – vor allem aber voller Angst, die edle Macht der Sonne könne ihm verloren gehen – kniff nun auch Tecuciztecatl die Augen zu und sprang. Aber er sprang mehr seitlich, dort, wo die Flammen am schwächsten brannten und die Asche am dicksten war.

In diesem Augenblick stieß aus dem Nichts ein Adler in die Flammen und tauchte so schnell wieder auf, daß nur seine Flügelspitzen angesengt waren. Mit einem Feuerball im Schnabel stieg er empor, bis er die östlichen Tore

Nie war die Morgendämmerung schöner gewesen

von Tectihuacan erreicht hatte. Dort ließ er den Feuerball, in den sich Nanahuaztzin verwandelt hatte, los, und sie ließ sich nieder auf einen Thron aus wogenden Wolkenmassen. In ihre goldenen Flechten waren Perlen und kostbare Muscheln gewoben, die durch den Morgendunst schimmerten, und ihre Lippen leuchteten im reinsten Scharlachrot.

Nie war die Morgendämmerung schöner gewesen. Die Götter jubelten laut vor Entzücken.

In diesem Augenblick stieß ein Falke auf die glühenden Kohlen nieder. Sein Gefieder wurde kohlschwarz versengt, aber als er wieder auftauchte, hielt er einen fahlglühenden Aschenball im Schnabel. Diesen trug er in den Himmel hinauf und setzte ihn in einiger Entfernung von der Sonne ab.

So wurde aus Tecuciztecatl, dem Schlangengott, der Mond.

In ihrem Zorn über den feigen Mond warfen die Götter Stöcke und Steine hinauf in sein blasses Angesicht. Einer schleuderte einen Hasen – das erste, was ihm in die Hände fiel. Er flog dem Mond genau ins Gesicht.

Seitdem sieht man bei Vollmond die Narben, die der Hase mit seinen langen Läufen im Gesicht des Mondes hinterlassen hat.

Wenn nun die Sonne ihre Wanderung um die Erde beginnt und Wärme und Licht spendet, setzt der Mond zu seiner vergeblichen Verfolgungsjagd an. Aber immer kommt er zu spät. Und wenn er schließlich müde und kalt im Westen ankommt, ist die Sonne längst untergegangen, und seine einst so prunkvollen Gewänder hängen in Fetzen.

Das ist die Geschichte der fünften und letzten Sonne.

Die Sonne
und der Mond

Die Sonne leuchtet hell und rein,
Ihr Licht ist warm und gut.
Der Mond ist nur ihr Widerschein,
Hat keine eig'ne Glut.

Ich möchte lieber Sonne sein,
Die wärmt und strahlt und lacht,
Anstatt ihr eis'ger Widerschein,
Des Monds geborgte Pracht.

Elaine Daron